Lutz van Dijk

Anton

Frieser

Foto: © Gesche Jaeger

DER AUTOR

Lutz van Dijk, Dr.phil., geboren 1955 in Berlin, war Lehrer in Hamburg und später Mitarbeiter des Anne Frank Hauses in Amsterdam, seit 2001 lebt er als Schriftsteller und Mitbegründer der südafrikanischen Stiftung HOKISA (www.hokisa.co.za) für von HIV/Aids betroffene Kinder und Jugendliche in Kapstadt. Seine Bücher wurden in viele Sprachen übersetzt und erhielten zahlreiche internationale Auszeichnungen (so in Deutschland u. a. 2001 den Gustav-Heinemann-Friedenspreis und 2009 die Poetik-Professur 2009 der Universität Oldenburg). In Deutschland und anderen Ländern sind seine allgemein verständlichen historischen Bücher bekannt, u. a. die »Geschichte der Juden« und seine »Geschichte Afrikas«. Zum Thema Tod und Sterben für jugendliche Leser erschien der Band mit Kurzgeschichten »Leben bis zuletzt« (2007).

Näheres über Lutz van Dijk und seine Arbeit als Schriftsteller unter:
www.lutzvandijk.co.za

Von Lutz van Dijk ist bei cbj und cbt erschienen:

Township Blues (30109)
Verdammt starke Liebe (30213)
»Zu keinem ein Wort!« Überleben im Versteck (30316)
Von Skinheads keine Spur (30537)
Themba (30459)

Lutz van Dijk

Themba

cbt

cbt – C. Bertelsmann Taschenbuch
Der Taschenbuchverlag für Jugendliche
Verlagsgruppe Random House

Das für dieses Buch verwendete
FSC®-zertifizierte Papier *München Super Extra*
liefert Arctic Paper Mochenwangen GmbH.

7. Auflage
Erstmals als cbt Taschenbuch April 2008
Gesetzt nach den Regeln der Rechtschreibreform

Lektorat: Textpraxis, Hamburg, Marion Schweizer
Umschlagbild: Corbis, Düsseldorf
Umschlaggestaltung: init.büro für gestaltung, Bielefeld
SE · Herstellung: CZ
Satz: Uhl + Massopust, Aalen
Druck und Bindung: GGP Media GmbH, Pößneck
ISBN: 978-3-570-30459-4
Printed in Germany

www.cbt-jugendbuch.de

Dieses Buch ist Nkosi Johnson (1989 bis 2001) gewidmet, der im Alter von elf Jahren vor rund 12 000 Teilnehmern der Welt-AIDS-Konferenz 2000 im südafrikanischen Durban über sein Leben als AIDS-kranker Junge berichtete und sich für kostenlose AIDS-hemmende Medikamente für alle Menschen einsetzte, lange bevor die Regierung dazu bereit war.
Nkosi starb am 1. Juni 2001, kurz nach seinem zwölften Geburtstag.

LUTZ VAN DIJK

Inhalt

»Glaube an dich selbst.
Wenn du positiv bleibst –
selbst wenn nicht alles so läuft,
wie du es willst –,
wirst du irgendwann verstehen,
dass du mit einem bestimmten Sinn lebst
und dass deine Zeit kommen wird…
Ich würde mir wünschen,
dass mich Menschen später einmal als jemanden erinnern,
der versucht hat,
anderen in ihrem Leben Mut zu machen.«

Lucas Radebe,
geboren 1969 im Township Soweto bei Johannesburg,
mehrere Jahre Kapitän von Bafana Bafana,
der Fußballnationalelf Südafrikas

Kwishawa

Unter der Dusche

Ein kräftiger Wasserstrahl prasselt auf meinen Kopf. Es spritzt in alle Richtungen, die heiße Flut strömt über Schultern, Rücken und Bauch nach unten und spült die letzten Schaumreste von der Haut... Meine Augen sind halb geschlossen. Ich ziehe den nach Seife und Chlor riechenden Dampf durch die Nase. Tief einatmen, langsam zur Ruhe kommen. Die meisten Muskeln sind noch hart von der Anspannung des Spiels, am rechten Oberarm und der Schulter spüre ich dumpfes Pochen – eine schmerzhafte Prellung und ein paar Schürfwunden von meinem Sturz am Ende der zweiten Halbzeit.

Ich glaube nicht, dass es etwas Ernstes ist.

Vom Eingang zu den Mannschaftsduschen her höre ich Andile meinen Namen rufen. Er ist schon angezogen, aber seine Stimme klingt noch immer aufgeregt: »Themba, komm endlich! Der Boss wartet schon auf dich, um dir zu gratulieren. Und all die Spinner vom Fernsehen – so ein Tor bekommen die nicht alle Tage geliefert!« Und mit einem freundschaftlichen Grinsen fügt er hinzu: »Alle wollen nur dich... Hast du die Frauen gesehen, die am Ausgang auf Autogramme warten? Mann, heute kannst du alles haben!«

Andile Khumalo ist viel älter als ich, bestimmt schon fünfundzwanzig oder so. Er ist der Star im Mittelfeld von

Bafana Bafana[1] und kein bisschen eifersüchtig. Seine Freude ist ehrlich. Als ich vor vier Monaten zur Nationalelf kam, zog er mich nach dem ersten oder zweiten gemeinsamen Training brüderlich zur Seite und sagte leise: »*Lumka* – pass auf, Kleiner! Die wollen dich hier nur austesten. Wenn nicht alles supercool läuft, bist du ganz schnell wieder draußen. So geht es den meisten. Fußball ist kein Spiel. Hier geht's um Kohle, knallhart. Dein Arsch ist hier nur so viel wert wie deine Leistung.«

Andile ist aus dem Eastern Cape wie ich, allerdings nicht vom Land, sondern aus der Stadt, aus iMonti oder East London, wie die Weißen sagen. iMonti ist eine Küstenstadt mit großem Hafen und sogar einem eigenen Flughafen. Ich dagegen bin zusammen mit Nomtha, dem wichtigsten Mädchen in meinem Leben, aus einem armseligen Dorf gut zweihundert Kilometer nördlich von iMonti abgehauen. Aus jenem hügeligen Gebiet von Qunu, das nur bekannt geworden ist, weil Nelson Mandela dort geboren wurde. In Mvezo, einem Dorf oberhalb des Mbashe-Flusses. Ihm zu Ehren steht dort heute ein Museum. Das ist aber auch schon alles. Die meisten Straßen sind nach wie vor nicht asphaltiert, die Leute leben in Häusern aus Lehm und Stroh und geizen dem kargen Boden ab, was die beinah überall grasenden Ziegen, Schafe und Kühe übrig lassen. Andile zieht mich bis heute damit auf: »Was, du kommst aus Qunu? Wie hast du denn da Fußball spielen können? Dort gibt es doch nur Hügel! Bestimmt habt ihr jede Halbzeit gewechselt – einmal den Berg raufschießen und danach hinterm Ball hinabrennen, was?« – »*Kanye* – genau so!«, antworte ich ihm und lache. Wenn der wüsste. Ich behalte bis heute für mich, dass wir

[1] *Kursiv* gesetzte Worte, die im Text nicht übersetzt sind, werden im »kleinen Wörterbuch« ab S. 213 erklärt.

früher tatsächlich nur ein aus langen Ästen gebasteltes Tor hatten und keiner von uns Schuhe besaß, von Fußballtöppen ganz zu schweigen.

Das scheint hundert Jahre her zu sein, unser Leben im Dorf: knapp zehn Hütten, die meisten *oorontabile*, traditionelle Rundhäuser, über vier Hügel und zwei Täler verteilt. Hier sind wir geboren, meine zwei Jahre jüngere Schwester Nomtha und ich. Hier haben wir die ersten Gerüche von Mutters Haut und ihrem weichen, warmen Tuch wahrgenommen, mit dem sie uns auf den Rücken band. Hier haben wir zum ersten Mal das kräftige Gras und die feuchte Erde unter den bloßen Füßen gespürt. Hier haben wir uns vor den unheimlichen Geräuschen der Nacht gefürchtet, wenn der Sturm vom Meer am Strohdach zerrte, und die Beruhigung am frühen Morgen erlebt, wenn Mutter als Erste aufstand und dünne Zweige zerbrach, um Feuer zu machen.

Nomtha wurde meist nach mir wach. Wie gern beobachtete ich sie im Schlaf, damals schon: Die langen dunklen Wimpern, das schmale Gesicht mit den vollen Lippen und sanften Wangen. Nomtha – alles ist sie für mich, meine ganze Familie, jedenfalls alles, was von meiner Familie übrig geblieben ist, seit wir Onkel Luthando und Großvater verlassen haben und Mutter im Sterben liegt.

Meinen Vater habe ich nie wirklich kennen gelernt. Ich war vier oder höchstens fünf, als er irgendwo in den Minen um iGoli, dem riesigen Johannesburg, verschwand und einfach nicht mehr zurückkehrte, nicht mal mehr zu Weihnachten wie die Jahre zuvor. Lange wussten wir Kinder nicht warum und erfanden alle möglichen Erklärungen: Vielleicht hatte es einen Unfall im Bergwerk gegeben? Vielleicht waren da aber auch eine neue Frau und eine andere Familie, weit weg von uns? Von einem auf den andern Tag sprach Mutter nicht mehr über Vater. Es war beinah so, als hätte es ihn nie gegeben, und viele Jahre lang hatten wir keine Ahnung, warum er uns in diesem winzigen Dorf in Qunu allein gelassen hatte. Eines jedoch stand fest: Mit Luthando, unserem Onkel, wollten wir nichts mehr zu tun haben. Nie mehr.

Nomthas vollständiger Name lautet Mthawekhaya und bedeutet in Xhosa: diejenige, die Licht im Haus verbreitet. Aber als sie klein war, konnte sie diesen Namen selbst nicht aussprechen, und so haben wir sie eigentlich schon immer nur Nomtha gerufen…

Jetzt sitzt sie vermutlich noch irgendwo draußen im sich langsam leerenden Stadion, obwohl ich ihr den Weg zum Presseraum genau beschrieben habe. Aber so ist Nomtha – sie mag nicht in übervollen Räumen mit lauten Menschen sein, und sie entscheidet selbst, was für sie gut ist und was nicht. Sie wird hinterher auf mich warten. Egal wie es ausgeht. Egal was Andile und alle anderen Spieler von *Bafana Bafana* sagen werden. Egal ob sie mich hinterher überhaupt noch mitspielen lassen werden.

Entschlossen drehe ich den Warmwasserhahn zu und halte die Luft an, als nur noch ein kalter Strahl über meine Haut strömt. Dann ist es vorbei und ich trete tropfnass aus der Duschkabine. Ich schüttele den Kopf, um das Wasser in den Ohren loszuwerden. Andile steht immer noch am Eingang. Ob er etwas ahnt?

»*Ndiyeza* – ich komme!«, rufe ich ihm zu und schnappe mir ein Handtuch.

Er winkt ungeduldig, rührt sich jedoch nicht von der Stelle und wendet auch den Blick nicht ab, als ich mich abtrockne.

Ich streife mir meine Trainingshose und eines unserer T-Shirts über. Es gibt kein Zurück mehr. Nicht für mich.

Meine Geschichte beginnt mit Andile und jenen drei Fragen, die er mir lange vor jener Pressekonferenz stellte, nur mir allein, und die ich nicht gut zu beantworten wusste. Ich stotterte damals im Bus mehr oder weniger herum, und obwohl er wie immer geduldig blieb, merkte ich, dass er danach keineswegs beeindruckt war. Dabei war Andile der letzte Mensch, den ich enttäuschen wollte. Nicht weil er der große *Bafana*-Star war, sondern weil er mich etwas gefragt hatte, womit er mir indirekt zu verstehen gab: ›Themba, ich nehme dich ernst. Vielleicht können wir echte Freunde werden. Du bist nicht so ein Großmaul wie die anderen. Mit dir rede ich nicht nur über Frauen, Autos und Knete, wie das im Klub so üblich ist, um anzugeben. Ich frage dich, weil ich wissen will, wer du bist und was dir wichtig ist im Leben. Und wen du wirklich liebst.‹ So genau hat er das nicht gesagt, aber mir ist heute klar, dass es ihm darum ging.

Ich entschied mich, Andile eine ehrliche Antwort zu geben. Auch wenn es nicht einfach ist. Auch wenn es lange dauern wird, genau zu berichten, wie alles gekommen ist – alles, mein ganzes verrücktes Leben, bis zu dem Augenblick unter der Dusche…

Es war im Bus auf der Rückfahrt nach einem langen Trainingstag im Ellis Park Stadion. Wir hatten uns auf ein Freundschaftsspiel gegen Südafrikas alten Fußballrivalen Nigeria vorbereitet. Andile und ich kannten uns höchstens drei Wochen. Es war ein heißer Tag gewesen und Steve, unser Trainer, hatte das Letzte aus uns herausgeholt. Jetzt war es dunkel, der Bus rollte über die Autobahn zurück ins Camp und nur ab und zu wurde Andiles Gesicht von den Scheinwerfern entgegenkommender Autos schlaglichtartig beleuchtet. Eine Weile hatte er die Augen geschlossen, und ich dachte schon, er sei wie einige andere aus der Mannschaft längst eingeschlafen. Aber dann stieß er mich sanft in die Seite, und als ich ihm den Kopf zuwandte, begann er zu fragen: »Themba, was weißt du über deine Vorfahren?«

Obwohl es ein moderner Bus mit Klimaanlage und allem war, brummte der Motor so laut, dass ich nicht sicher war, ob ich ihn richtig verstanden hatte.

»Wohin wir fahren?«

Er schlug sich mit der flachen Hand an die Stirn. »Vorfahren, Mann, deine Eltern und Großeltern und deren Eltern und so weiter ... Woher du kommst! Hast du eine Ahnung?«

Ich erschrak, weil ich merkte, wie ernst es ihm war, und fragte unsicher zurück: »Wie meinst du denn das? Meinen Vater habe ich nie richtig kennen gelernt und meine Mutter ist ...«

Ich unterbrach mich, weil ich ihm bis dahin noch nicht erzählt hatte, was mit Mutter geschehen war, und auch nicht vorhatte, das ausgerechnet jetzt in diesem rumpelnden Bus zu tun. Ich räusperte mich und gab den Ball erst mal zurück: »Was weißt du denn über deine Vorfahren?«

»Ich träume viel«, sagte er, wobei er mich immerzu ansah und jedes seiner Worte deutlich betonte, ohne dabei lauter zu werden. »Letzte Nacht habe ich von einem alten Mann geträumt, der mir irgendwie bekannt vorkam, obwohl ich seinen Namen nicht wusste. Er sprach mich an und sagte: ›Andile, du bist mein Sohn.‹ Und ich antwortete im Traum: ›Unmöglich, mein Vater sieht völlig anders aus!‹ In dem Moment brach ein ungeheures Unwetter mit Blitz und Donner los, und er nahm mich beschützend in den Arm und flüsterte mir zuerst auf Xhosa und dann auf Englisch ins Ohr: ›*Umfazi uzalela omye*... Jeder Mensch hat viele Kinder und alle Kinder haben viele Eltern ...‹«

»Und dann?«

»Dann bin ich aufgewacht und war ganz nass vom Regen, aber das war nur mein Schweiß. Mein Herz klopfte wie wild, und ich hätte schwören können, dass der Alte noch im Raum war. Aber als ich Licht machte, war alles wie immer. Das Fenster stand offen und draußen bewegte sich kein Blatt am Baum.«

Andile schaute mir weiter in die Augen, als hoffte er, ich könnte ihm seinen Traum deuten oder wenigstens eine eigene beeindruckende Traumerfahrung mit Vorfahren beisteuern. Aber in meinen Träumen nahm mich niemals jemand in den Arm, schon gar kein alter Mann. In meinen Träumen griffen mich riesige Ungeheuer an, die mit Schwertern und Lanzen auf mich einstachen und vor denen ich mich oft nur mit einem Sprung aus großer Höhe retten konnte. Oder Mutter schrie im Fieber, so wie sie wirklich geschrien hat, als sie noch bei uns daheim war... Sie schrie nach mir und ich konnte nicht zu ihr. Ich war gefesselt mit klebrigen Seilen und Tauen, die mir den Atem nahmen, bis ich endlich aufwachte oder Nomtha mich wachrüttelte.

Zu Andile sagte ich: »Nomtha glaubt wie du, dass die Vorfahren über uns wachen und uns beschützen...« Beinah hätte ich hinzugefügt: »Ich aber nicht!« Doch ich wollte Andile nicht kränken und hielt den Mund.

Völlig unerwartet kam seine zweite Frage: »Nomtha ist eine Klassefrau! Wie lange bist du schon mit ihr zusammen?«

Hatte ich ihm tatsächlich nie erzählt, dass Nomtha meine Schwester ist? Unwillkürlich musste ich lachen. »Nomtha ist einsame Spitze«, bestätigte ich und grinste.

Auch auf seinem Gesicht zeigte sich nun ein Grinsen, jenes berühmte, unverschämt charmante, mit dem er auf den meisten seiner Fanpostkarten abgebildet ist und bei dem angeblich viele Mädchen innerhalb von Sekunden dahinschmelzen.

»Ha!«, rief er. »Garantiert auch im Bett, oder?«

»Überall«, stimmte ich ihm zu, und wir lachten beide. Dann sagte ich ganz ruhig: »Nomtha ist meine Schwester.«

Zunächst reagierte Andile gar nicht. Er schien angestrengt nachzudenken. Schließlich wandte er sich mir wieder zu und stellte ebenso ruhig seine dritte Frage: »Was bedeutet sie dir?«

Ich konnte seinem Blick nicht standhalten und schaute auf meiner Seite hinaus auf die dunkle Autobahn. Ich spürte, dass er mich noch immer ansah, und flüsterte mehr, als dass ich sprach: »Sehr viel…«

Diesmal bohrte Andile nicht nach. Wahrscheinlich hatten die Motorengeräusche meine Antwort übertönt. Es war nicht so, dass ich ihm nicht antworten wollte. Im Gegenteil – nur zu gern hätte ich alles mit ihm geteilt. Mit seinen Fragen nach den Vorfahren und der Liebe hatte er bis in meine tiefste Seele gezielt: Wo komme ich her? Wie lange wird Mutter noch bei uns sein? Und was bedeutet Nomtha für mich wirklich? Mehrfach öffnete ich den Mund, brachte aber kein Wort hervor. Andile schaute eine Weile zu mir, lehnte sich dann jedoch zurück, als nichts von mir kam. Schließlich merkte ich, wie er sich entspannte und sein Kopf langsam gegen meine Schulter sank. Er atmete tief und ruhig, ohne zu schnarchen. Ich saß hellwach neben ihm und beschloss, ihm keine einzige Antwort schuldig zu bleiben. Irgendwann würde ich ihm und mir erklären können, wie alles gekommen war. Auch ich schloss die Augen, überließ mich dem Geschaukel des Busses und sah allmählich deutliche Umrisse vor mir aus dem Dunkel auftauchen…

Ebuzuku ngasemlanjeni

Nachts am Fluss

Wo ich geboren bin, ist die Nacht ebenso voller Leben wie der Tag. Wenn die Tiere des Tages und die meisten Menschen schlafen gehen, übernehmen die Nachtwesen das Kommando. Viele Raubtiere jagen in der Nacht, und manche Geister erhalten erst zu bestimmten Nachtstunden die Kraft, mit der sie mühelos auch jene in ihren Bann schlagen, die sich als vernünftig bezeichnen und niemals zugeben würden, an Geister zu glauben. Und die Nacht kommt schnell. Wenn die Sonne als roter Feuerball hinter den Hügeln versinkt, lässt sie noch einmal alle Wolken dicht über dem Horizont aufflammen, bevor es fast schlagartig dunkel wird, stockdunkel, bis irgendwann das ferne, kalte Licht des Mondes alle Schatten zum Tanzen bringt.

Auf den Hügeln und in den Tälern von Qunu gibt es heute keine Löwen oder Elefanten mehr, aber es gibt Luchse und Schakale, die nachts in die Ställe einbrechen, um sich Hühner oder Gänse zu holen. Manchmal kann man auf einem kräftigen Zweig die glühenden Augen einer großen Eule erkennen, die sich langsam öffnen und schließen und im Dunkeln so viel besser sehen als bei Licht. Schwärme von Fledermäusen schwirren beinah lautlos hin und her in ihrer Jagd auf Mücken und andere Insekten. Und an den Flüssen stimmen Frösche und Kröten am Abend ein vielstimmiges Konzert an, das über Stunden anschwillt und dann, wie von einem unsichtbaren Dirigenten koordiniert, innerhalb weniger Momente abbricht.

In einer solchen Nacht liegen Nomtha und ich hellwach unter unserer Decke und deuten einander die verschiedenen Geräusche. Ich bin höchstens zwölf und Nomtha zehn Jahre alt.

»Das Scharren im Dach ist ein Gecko.« Nomtha flüstert, um Mutter nicht aufzuwecken. Sie ist, müde von der schweren Arbeit auf dem hügeligen Maisfeld, seit langem eingeschlafen.

»Ich glaube, es sind zwei, die miteinander kämpfen«, vermute ich.

»Kann auch sein«, stimmt sie zu und versucht, im schummrigen Mondlicht, das durch einen Spalt beim einzigen Fenster in den Raum fällt, etwas zu erkennen. Der fahle Lichtstrahl durchmisst die kleine Rundhütte, die wir zu dritt bewohnen, und trifft schließlich auf das einzige Foto, das wir von Vater haben und das in einem blank polierten, silbern glänzenden Metallrahmen direkt neben Mutters Kopfkissen steht.

Plötzlich vernehmen wir ein deutliches Klopfen an der Lehmmauer gleich neben der Holztür, die schon länger nicht mehr ganz stabil in den Scharnieren hängt und bereits bei sanftem Wind ein rhythmisches Knarren erzeugt, an das wir uns längst gewöhnt haben. Das Klopfen kommt mir unheimlich vor wie alles in der Nacht, was ich mir nicht erklären kann. Es scheint aus dem Innern der getrockneten Lehmblöcke und doch wie aus großer Ferne zu kommen und klingt, als würde jemand versuchen, die Mauern mit gewaltigen Faustschlägen zum Beben zu bringen.

Nomtha dagegen richtet sich auf und zieht mich aufgeregt an der Hand: »*Yiza* – komm, Themba, das ist vielleicht ein Geist, den wir befreien müssen!«

Obwohl auch ich neugierig bin zu erfahren, woher das

Klopfen stammen könnte, scheint mir die Vorstellung, einen Geist zu befreien, weniger verlockend: »Und was machen wir mit ihm, wenn wir ihn befreit haben?«

Nomtha ist um keine Antwort verlegen: »Das kann der Geist doch selbst entscheiden ...«

Ich kenne Nomtha gut genug, um zu wissen, dass sie nicht so schnell lockerlassen wird. Da Mutter tief und ruhig schläft, erhebe ich mich so leise wie möglich, greife nach dem eisernen Feuerhaken, der sich noch warm anfühlt, und schleiche auf Zehenspitzen bis zur Tür. Nomtha ist dicht hinter mir und beide halten wir den Atem an. Da ist es wieder – das dumpfe Klopfen einer Faust oder vielleicht auch der Huf eines riesigen Tieres?

Plötzlich ist nichts mehr zu hören. Hat der Geist uns bemerkt und wartet nun darauf, dass wir die Tür öffnen, damit er uns packen und in die Geisterwelt entführen kann? Nomtha sieht sich weiter als heldenhafte Retterin: »Du darfst ihn nicht erschrecken mit deinem Haken ... Mach endlich die Tür auf, damit wir sehen können, woher das Klopfen kommt!«

Dieses Mädchen hat wirklich vor gar nichts Angst. Vorsichtig schiebe ich den Holzriegel zurück, mit dem wir nachts die Hütte von innen verschließen. Den Haken halte ich in der erhobenen rechten Hand. Mit der anderen ziehe ich die Tür langsam auf, wobei ich sie leicht anhebe, um das Knarren zu dämpfen. Ich spüre Nomthas warmen Atem im Rücken, als wir beide um die Ecke schauen, dorthin, von wo wir noch Sekunden vorher das Klopfen vernommen haben.

»*Ubona ntoni* – was siehst du?«, presst Nomtha aufgeregt hervor. Sie findet unsere nächtliche Erkundung herrlich aufregend, kein Zweifel.

»*Andiboni nto* – ich sehe nichts ...«, flüstere ich zurück und trete einen Schritt zur Seite, damit sie sich selbst überzeugen kann.

Aber da hat sie schon mit beiden Händen meine Arme gepackt und ruft mit kaum noch unterdrückter Stimme: »*Phaya, phaya* – dorthin musst du schauen!« Sie zeigt aufgeregt in Richtung des Pfades, der zum Fluss hinunterführt. Erst jetzt sehe ich, was sie schon vor mir bemerkt hat und was nun auch mich augenblicklich fasziniert: Kleine Lichter scheinen dort auf und nieder zu schweben und sich langsam in Richtung des Flusses zu bewegen. Im Mondschatten großer Bäume können wir gerade noch das Ende einer Prozession dunkler, schweigender Gestalten erkennen, die mit rhythmischen Bewegungen zum Ufer hinabsteigen.

»Sind das Geister?«, flüstert mir Nomtha fragend ins Ohr. Sie ist nicht ohne weiteres bereit, ihre Befreiungsidee aufzugeben.

»Das sind *Sangomas*. Sie scheinen eine heilige Versammlung am Fluss abzuhalten.« Es tut mir gut, dass ich als älterer Bruder ihr endlich doch noch etwas erklären kann. Einmal hatte mich Mutter zu einem Treffen der traditionellen Heiler von Qunu mitgenommen, als das erste Steinhaus des Dorfältesten von Gonya, einer größeren Siedlung nicht weit von uns, eingeweiht wurde und mehrere Schafe und eine Kuh geschlachtet worden waren. Auch damals ging es bis spät in die Nacht, und es brannten viele Kerzen, was ich sehr schön fand. Und nun erinnere ich mich auch, dass ich genau dort einen ähnlich dumpf vibrierenden Klang schon einmal gehört hatte, der von großen, bauchigen Trommeln herrührte. Bevor ich es Nomtha mitteilen kann, hören wir es – nun aus großer Ferne – erneut: Die Heilerinnen und Heiler sind am Fluss angekommen und haben nach dem Abstieg das Schlagen ihrer Instrumente wieder aufgenommen.

»Die Geister!«, ruft Nomtha so laut, dass ich mich besorgt nach Mutters Bett umschaue. Durch die offene Tür fällt nun mehr Mondlicht in die Hütte, und ich kann deutlich erkennen, dass Mutter sich zwar unruhig hin und her wälzt, aber offensichtlich nicht aufgewacht ist.

Ohne meine Zustimmung abzuwarten, läuft Nomtha mehrere Schritte voraus, bevor sie sich umdreht und mir ungeduldig zuwinkt: »*Vala ucango* – mach die Tür zu ... und komm!« Damit dreht sie sich auch schon um und folgt dem Pfad, auf dem kurz zuvor die *Sangomas* vorbeigezogen sind.

Ich weiß von Mutter, dass es heilige Treffen gibt, bei denen Kinder nicht zugelassen sind. Außerdem ist es uns ganz sicher nicht erlaubt, nachts ohne zu fragen unsere Hütte zu verlassen und zum Fluss zu laufen. Aber ich darf Nomtha auch nicht einfach allein lassen und renne leise schimpfend hinter ihr her: »*Yima*, Nomtha – bleib stehen! Was fällt dir ein!«

In der Dunkelheit kann ich nicht so schnell laufen, und mehrmals peitschen mir Äste ins Gesicht, die ich zu spät erkenne und die Nomtha, die mindestens einen Kopf kleiner ist als ich, nicht getroffen haben. Als ich sie endlich erwische, sind wir schon beinah am Flussufer angekommen, wo die Trommeln wieder schweigen und die *Sangomas* sich in einem Halbrund um eine der älteren Frauen gestellt haben. Wir können uns gerade noch hinter einem dichten Gebüsch verbergen, um nicht entdeckt zu werden. Da plötzlich Stille herrscht, wage ich nicht, mit Nomtha zu sprechen. Beide starren wir fasziniert auf das Schauspiel vor unseren Augen.

Die brennenden Kerzen sind jetzt in der Mitte der Versammlung im Kreis aufgestellt und erleuchten schemenhaft die in lange Decken gewickelten Heilerinnen und Heiler und ihre zum Teil hell gefärbten Gesichter. Die alte Frau in der Mitte schöpft aus einem großen Eimer eine weiße Flüssigkeit in Flaschen, die reihum gereicht werden. Nachdem jeder einen Schluck genommen hat, wird der Rest der jeweiligen Flasche unter gebetartigem Gemurmel in den Fluss gegossen. Erst danach ergreift die alte Frau eine der kleineren Trommeln, auf die sie mit einem Stock einen bislang nicht gehörten Rhythmus schlägt, der jedes ihrer Worte unterstreicht.

Erst beim zweiten oder dritten Mal kann ich die Frage verstehen, die sie singend an die Versammlung richtet: »*Zikhalela ntoni izinyanya?*«

Nomtha ist inzwischen ungeduldig geworden und fragt so leise wie möglich: »Was will die Frau von den anderen?«

Flüsternd antworte ich: »Sie fragt, warum die Geister weinen.«

»Was?« Nomthas angeborene Geisterkenntnis hat sie zum ersten Mal im Stich gelassen.

Doch dann macht die alte Frau unmissverständlich deutlich, warum die Geister traurig sind. Wie in einer Predigt ruft sie: »Die Herzen der Geister sind schwer, weil so viele junge Männer von uns fortgehen ...«

Die Versammlung antwortet wie ein Chor: »*Siyavuma* – wir stimmen zu!«

»So viele Väter und Brüder sind fort von uns, darum sind die Geister traurig ...«, setzt sie ihre Klage fort.

»*Siyavuma!*«

»So viele Kinder wachsen auf ohne Väter und die Familien sind zerrissen ... darum weinen die Geister!«

»*Siyavuma!*«

Sie berichtet, wie es immer öfter geschieht, dass die Väter krank zurückkommen aus der Ferne, mit jener geheimnisvollen Krankheit *ugawulayo*, die so stark ist, dass sie Bäume fällen kann und alle Heilmittel machtlos sind. Manchmal kommen die Väter auch gar nicht mehr heim.

Während ich der alten Frau und ihrem Ritual noch gebannt zuschaue, merke ich plötzlich, wie Nomtha neben mir zu weinen begonnen hat. Ihr kleiner Körper zuckt kaum spürbar, aber ich erkenne, wie ihr Tränen über die Wangen laufen. »Hast du Angst?«, flüstere ich.

Sie schüttelt nur stumm den Kopf und deutet mit der Hand an, dass sie wieder nach Hause möchte. Es gelingt uns, unbemerkt von der Versammlung der *Sangomas* zum Pfad zurückzuschleichen und von dort in wenigen Minuten zu unserem Haus zu laufen. Als wir direkt davor bei dem kleinen Gemüsegarten ankommen, sehen wir beide gleichzeitig, dass die alte Holztür weit offen steht.

»Wo kommt ihr denn her, mitten in der Nacht?«, ruft Mutter und springt von ihrem Stuhl auf, den sie sich vor den Eingang gestellt hat, um den Hauptweg vor dem Haus im Auge behalten zu können.

»*Siyaphila*, Mama – wir sind okay!«, versuche ich, sie zu beruhigen. Doch da hat sie schon bemerkt, dass Nomtha geweint hat, und nimmt sie tröstend in den Arm.

»Was ist denn, meine kleine Tochter?« Ihre Stimme klingt kaum noch böse, vielmehr erleichtert, dass wir heil zurückgekommen sind.

Doch Nomtha, die nicht mal vor den größten Geistern Angst hat, schluchzt erneut und stößt schließlich hervor: »*Uphi uTata* – wo ist Vater? Warum ist er nie zu uns zurückgekommen?«

Ich spüre, wie sich etwas in Mutters Gesicht verändert, noch bevor Nomtha es bemerkt. Es ist, als würde die Sanftheit in ihrem Ausdruck verschwinden und einem tiefen Schmerz weichen. Sie wendet sich abrupt von uns ab und schaut eine Weile wie erstarrt auf das kleine Foto neben ihrem Bett. Auch wenn es im Augenblick zu dunkel ist, um Einzelheiten zu erkennen – jedem von uns ist dieses Foto so vertraut wie kein anderes. Es zeigt meinen Vater Vuyo als jungen Mann an einem Strand. Anfang zwanzig wird er sein, kaum älter. Er trägt nur eine weite lange Hose, sonst nichts. Sein bloßer Oberkörper lässt kräftige Schultern und Arme erkennen. Er hat sich an einen Felsen gelehnt, strahlt wie ein unbesiegbarer Held in die Kamera und hat die rechte Hand zur Faust erhoben. Seit er verschwunden ist, hat Mutter seinen Namen nicht mehr ausgesprochen.

Doch auch wenn wir jetzt in dieser besonderen Nacht die gleiche Spannung bei ihr wahrnehmen, die sie immer zeigt, wenn jemand nach ihm fragt, geht sie nun die paar Schritte zum Bett, nimmt das Foto in beide Hände, holt tief Luft und antwortet Nomtha leise: »Dein Vater … er ist noch immer in meinem Herzen. Auch wenn er uns damals verlassen hat und ich nicht einmal weiß, ob er noch lebt.«

Es ist Nomtha anzumerken, dass sie endlich mehr wissen möchte, genau wie ich. Leise trete ich dicht neben Mutter und wage schließlich eine möglichst harmlose weitere Frage: »Mama, hast du dieses Foto gemacht?«

Sie hebt den Blick und schaut durch die noch immer offene Holztür hinaus in die Nacht, ohne ein Wort zu sagen. Vom Fluss tönen die Trommeln jetzt nur noch leise, so als wären die *Sangomas* am Ufer inzwischen ein ganzes Stück weiter gen Norden gezogen. Mutter lauscht den fernen Trommelschlägen, als könnten sie ihr eine bislang unbekannte Botschaft bringen.

Wie mit einem inneren Ruck wendet sie sich uns dann plötzlich wieder zu: »Nein, das Foto hat einer seiner Freunde aus dem Untergrund aufgenommen, etwa zwei oder drei Jahre, bevor wir uns kennen lernten. Euer Vater hat damals Ausweise gefälscht für Leute, die sich verstecken mussten. Und dieses Foto war eine große Dummheit: Jener Strand war wie die meisten für Weiße reserviert. Euer Vater hat sich nicht nur einen Dreck darum gekümmert, sondern die Faust als Geste des Widerstands gereckt und sich, als wäre all das nicht genug, auch noch fotografieren lassen …«

Noch nie zuvor hat sie so viel auf einmal über Vater gesprochen. Das Foto in der Hand, setzt sie sich wieder auf den Stuhl, auf dem sie vorhin auf uns gewartet hat. Nomtha und ich hocken uns still neben ihr auf den Boden. Auf keinen Fall wollen wir durch ein falsches Wort unterbrechen, was Mutter endlich zu erzählen begonnen hat.

Kudala ... uTata

Damals ... Vater

»Vieles war so anders damals, anders als ihr es zum Glück jemals erlebt habt ...«, sagt sie leise.

Mir ist sofort klar, über welche Zeit sie spricht. Ich weiß, dass es damals Gesetze gab, durch die Menschen wie wir nur deshalb, weil sie keine weiße Hautfarbe hatten, immerzu benachteiligt wurden: Sie mussten dort wohnen, wo die Weißen es ihnen vorschrieben, sie durften nicht auf den gleichen Bänken in der Bahn oder im Park sitzen wie die Weißen, und wenn sie irgendwo in einer Schlange anstanden und ein Weißer kam, wurde der immer zuerst bedient. Tatomkhulu, unser Opa, der allein in seiner Hütte etwas außerhalb unseres kleinen Dorfes wohnt, hat einmal berichtet, wie er von einem Farmer geschlagen wurde, nur weil er ihm und seiner Frau auf einem Feldweg nicht schnell genug ausgewichen war. Immerhin hatte Opa kurz danach noch gehört, wie die Frau ihren Mann wegen dieser Erniedrigung beschimpfte und die beiden darüber in Streit gerieten. »Das habe ich ihr nie vergessen«, hatte Tatomkhulu erzählt.

»Damals habe ich euren Vater kennen gelernt«, fährt Mutter fort, und ein zaghaftes Lächeln huscht über ihr Gesicht. »In jenen Tagen war er zur Hochzeit eines Onkels, der ihm früher das Schulgeld bezahlt hatte, zu Besuch in unser Nachbardorf gekommen. Eigentlich stammte er aus der damaligen Hauptstadt Umtata, aber seine Eltern hatten als

Mitglieder einer verbotenen Organisation über Nacht ins Exil flüchten müssen. Er war damals noch ganz klein. So wuchs er zuerst bei einer Nachbarsfamilie auf. Aber sobald er alt genug war, begann er, in einem Bergwerk im fernen iGoli zu arbeiten und für sich selbst zu sorgen. In jenem Nachbardorf stand die einzige größere Kirche der Umgebung, in die ich jeden Sonntagmorgen in meinem besten Kleid zum Gottesdienst ging. Als ich eines Tages von der Kirche nach Hause lief, sah ich ihn auf einem Parkplatz gegenüber, wie er an einem alten Auto herumbastelte. Wir schauten einander lange an, er ölverschmiert und in abgerissenen Sachen, ich in meinem strahlend weißen Sonntagskleid. Ich fragte ihn: ›Gehst du nie in die Kirche?‹ Und er antwortete: ›Niemals!‹«

So hatte es also begonnen zwischen meiner Mutter und meinem Vater. Nicht gerade romantisch, aber immerhin ehrlich.

»Bei der Hochzeitsfeier des Onkels haben wir uns dann richtig verliebt«, berichtet Mutter weiter. »Dass er sich mit ein paar Kollegen aus der Minenarbeiter-Gewerkschaft einer verbotenen Gruppe angeschlossen hatte, bekam ich erst bei seinem übernächsten Besuch in Qunu mit, als er unerwartet einen warnenden Anruf bekam und Hals über Kopf aufbrechen musste, ohne mir Näheres erklären zu können. Tatomkhulu hatte bis dahin keine gute Meinung von ihm, aber als er hörte, dass mein Freund ein Freiheitskämpfer ist, sagte er nichts Schlechtes mehr über ihn ...«

Mutter holt tief Luft. Ich merke, dass der schwerste Teil ihres Berichts noch bevorsteht.

»Etwa ein halbes Jahr nach unserer Hochzeit kamen sie. Kurz zuvor hatte ich endlich eine Besuchsgenehmigung für iGoli erhalten, um für länger bei ihm sein zu können.« Mutter wischt sich nervös über die Augen, als wolle sie jene Erinnerung am liebsten verjagen. »Im Morgengrauen, als wir noch schliefen, traten sie die Tür unseres kleinen Zimmers ein, das wir bei einem Kollegen von ihm gemietet hatten. Sechs oder sieben schwer bewaffnete Sicherheitspolizisten richteten ihre Pistolen auf uns und schrien uns an, keine falsche Bewegung zu machen. Dann begannen zwei von ihnen, alles zu durchsuchen. Wir hatten damals noch kaum Möbel, aber die paar Sachen, die sie fanden, traten sie mit ihren Stiefeln kurz und klein. Als sie keine Waffen entdeckten, die seine Schuld hätten beweisen können, zerrissen sie vor Wut sogar mein neues Kleid, das an einem Bügel über dem Fensterrahmen hing. Schließlich packten sie uns beide grob an den Armen, rissen uns, so wie wir waren, aus dem Bett und stießen uns zu Boden. Dann legten sie uns Handschellen an, die tief in die Haut schnitten …«

»Mama …«, ruft Nomtha erschrocken und ergreift ihre Hand. Mutter scheint es kaum zu bemerken und spricht weiter, atemlos, als gäbe es nun kein Halten mehr.

»Als er sah, wie sie mich behandelten, trat er wie wild um sich und schrie sie an, dass ich von nichts wüsste und sie kein Recht hätten, mich auch nur anzurühren, und dass sie alle Verbrecher seien und ihr ganzer Unrechtsstaat sowieso am Ende sei, und wenn nicht einer der Polizisten mit seinem *Sjambok* so oft auf ihn eingeschlagen hätte, bis er bewusstlos zusammenbrach, dann hätte er noch lange nicht aufgegeben.«

Mutter bemerkt erst jetzt, wie fest Nomtha ihre Hand hält. Sie streicht ihr sanft über den Kopf, ist aber nun entschlossen, die ganze Geschichte zu erzählen.

»Ich bin nach wenigen Tagen freigekommen, aber ihn haben sie für viele Monate eingesperrt. In der Zeit war ich bereits schwanger mit dir, Themba, und als du Anfang des folgenden Jahres geboren wurdest, ahnten wir noch nicht, dass sich in Südafrika schon so bald alles ändern würde. Zwei Wochen nach deiner Geburt, im Februar 1990, wurde bekannt gegeben, dass Nelson Mandela und alle anderen politischen Gefangenen freigelassen werden sollten. Ich blieb die ganze Nacht wach, hatte dich auf meinem Schoß und hörte mit Tatomkhulu stündlich die Nachrichten im Radio. Wir konnten es kaum glauben und fürchteten die ganze Zeit, dass sich doch noch alles als Irrtum herausstellen könnte und die Unterdrückung ewig weiterginge.

Der Tag, an dem euer Vater aus dem Gefängnis nach Hause kam, war der glücklichste Tag meines Lebens. Er war abgemagert und unrasiert, aber auch er strahlte und fragte mich als Erstes nach dir, unserem Sohn: ›Welchen Namen hast du ihm gegeben?‹ Ich antwortete: ›Themba – die Hoffnung. Weil ich niemals die Hoffnung verloren habe, dass du zu uns zurückkommen würdest.‹«

Mutter kann plötzlich nicht weitersprechen, Tränen stehen in ihren Augen, und sie schluckt mehrmals, um das Weinen zu unterdrücken.

Ihre Stimme zittert, als sie sagt: »So glücklich waren wir, so glücklich. Gemeinsam wollten wir ein neues Leben in Qunu beginnen … Nie mehr sollte er die Drecksarbeit in den Minen machen müssen. Tatomkhulu half uns, ein kleines Stück Land zu kaufen, auf dem wir wenig später dieses Haus gebaut haben …« Dann schaut sie plötzlich Nomtha an und zwingt sich zu einem Lächeln: »Weißt du, warum du deinen Namen bekommen hast?«

Nomtha schüttelt den Kopf: »*Kwakutheni*, Mama – warum?«

»Du wurdest in einem kalten dunklen Winter geboren, Nomtha. Alles von Großvater geborgte Geld hatten wir in den Bau unserer ersten Rundhütte gesteckt. Es gab wenig zu essen und in der Nacht deiner Geburt gingen uns die letzten

Kerzen aus. Als endlich alle Nachbarinnen, die bei der Geburt geholfen hatten, gegangen waren und ich dich beim ersten Morgengrauen im Arm hielt, brach plötzlich der wolkige Himmel an einer einzigen Stelle auf, und ein erster Sonnenstrahl schien genau auf mein Bett. ›Die Kleine bringt Licht in unser Haus …‹, sagte dein Vater. Und ich ergänzte froh: ›Und in unser Leben …‹«

Nomtha lächelt. Ohne Zweifel gefällt ihr nicht nur ihr Name, sondern auch der Grund, warum sie ihn erhalten hat.

Doch dann wird Mutter wieder ernst. Es ist deutlich, dass sie die Geschichte nun zu Ende bringen will. »Die erste Maisernte war nicht gut. Es hatte eine lange Dürrezeit gegeben, als die junge Saat dringend Wasser benötigte. Außerdem machte euer Vater, der nie auf dem Land gearbeitet hatte, einige unnötige Fehler und schlug mehrmals den Rat von Tatomkhulu in den Wind. Nach der zweiten Missernte waren wir so verschuldet, dass er keinen anderen Ausweg sah, als für eine Weile zu der verhassten Arbeit in den Minen zurückzukehren. Aus einer Saison wurden zwei und schließlich blieb er das ganze Jahr und kam nur noch zu Weihnachten zurück nach Qunu. Aber immer hat er uns Geld geschickt, und wir dachten, dass es nicht lange dauern würde, bis alle Schulden bezahlt wären und wir einen neuen Anfang mit ein paar Schafen und Ziegen in Qunu wagen könnten. Dann aber …« Sie hält inne und greift erneut nach dem Foto, das sie neben uns auf den Boden gestellt hat. »Dann aber hörte ich mit einem Mal nichts mehr von ihm. Wochenlang kam kein Geld, und schließlich rief ich mehrfach vom Telefoncontainer in Gonya aus bei seiner Bergwerksgesellschaft an, um zu fragen, ob sie etwas von meinem Mann wüssten. Aber jedes Mal war jemand anders am Apparat, nie konnte mir jemand Auskunft geben oder sich wenigstens an mich oder an euren Vater erinnern. Am Ende war ich so besorgt, dass ich mir erneut Geld borgte, um selbst nach iGoli zu fahren und nach ihm zu suchen. Zwei Tage vor meiner geplanten Abreise erreichte mich ein Brief ohne Absender. Erst dachte ich, der Umschlag sei leer, dann jedoch fand ich einen kleinen, zweimal zusammengefalteten Zettel darin. Meine Hände bebten so, dass ich ihn kaum öffnen und lesen konnte.«

Nomtha und ich bemerken, dass auch jetzt ihre Hände zittern. Sie dreht den kleinen Bilderrahmen nervös hin und her. Schließlich hält Nomtha es nicht mehr aus und ruft: »Was stand denn auf dem Zettel, Mama?«

Mutter antwortet nicht, sondern beginnt, an der Rückseite des Rahmens einige Klemmen zu lösen, bis sie die dunkle Pappe hinter dem Foto vorsichtig herausnehmen kann. Dabei fällt ein abgerissenes Stück Papier vor uns auf den Boden. Unsicher hebe ich es auf und reiche es Mutter. Ihre Hände beben so sehr, dass es einen Moment dauert, bis sie den Zettel geglättet hat, um ihn vorzulesen. Sie zeigt auf die wenigen, mit einem Kugelschreiber offenbar hastig notierten Zeilen: »Das ist seine Handschrift.«

Dann räuspert sie sich und liest langsam vor, wobei sie jede einzelne Silbe betont: »›Geliebte Mandi, die Vergangenheit hat mich eingeholt... Ich muss etwas tun, und erst wenn das erledigt ist, kann ich zu dir und den Kindern heimkommen. In Liebe... Dein Vuyo.‹« Als dürfte der Zettel nicht zu lange ungeschützt bleiben, schiebt sie ihn umgehend wieder hinter die schwarze Pappe des Rahmens. Dann lehnt sie sich erschöpft zurück und schweigt eine Weile.

»Wie lange ist das her, Mama?«, unterbreche ich schließlich die Stille in unserer Hütte. Die Trommeln der *Sangomas* sind nicht mehr zu hören und selbst die Frösche und Grillen scheinen ihr nächtliches Konzert mit einem Mal beendet zu haben.

»So lange …«, gibt sie müde zurück. »In einem Monat sind es genau sieben Jahre, dass ich euren Vater das letzte Mal gesehen und ihn berührt habe, als er von hier fortging, den Pfad hinunter zum Fluss und von dort zur Haltestelle der Minibusse, um zum Bahnhof nach iGoli zu fahren.«

Ihre letzten Worte spricht sie so leise, dass wir sie kaum noch verstehen können. Zum ersten Mal fällt mir auf, dass Mutter keine junge Frau mehr ist. Das jahrelange Warten mit all den Ängsten um ihn und Sorgen um uns hat sie zermürbt und müde werden lassen, vielleicht sogar noch mehr als die harte Arbeit während der Erntezeit auf den Feldern anderer Leute, mit der sie kaum genug verdient, um unsere kleine Familie über Wasser zu halten.

Auch wenn ich nach der Schule so viel wie möglich mithelfe beim Feuerholzsammeln, Wasserholen und bei der Arbeit in unserem kleinen Gemüsegarten, ist uns doch seit langem klar, dass es so auf Dauer nicht weitergehen kann. Meine Schuluniform besteht mehr aus Flicken als dem ursprünglichen Stoff, und wie wir Schulkleidung für Nomtha kaufen sollen, wenn sie zu Beginn des neuen Jahres endlich auch zur Schule geht, steht noch in den Sternen.

»Ndingumpha ochutyiweyo«, flüstert Mutter in die Stille. »So schaffen wir es einfach nicht.«

In dieser Nacht ahnen wir nicht, dass sich schon bald einiges in unserem Leben einschneidend verändern wird. Wir bleiben noch lange beieinander sitzen, ohne ein Wort zu sprechen: Mutter auf dem Stuhl mit dem Bilderrahmen in der Hand, Nomtha und ich auf dem Boden, den Rücken gegen ihre Beine gelehnt. Jeder von uns lauscht für sich in die endlose Stille jener Nacht. Schließlich fällt Nomtha als Erste in Schlaf. Mutter und ich tragen sie gemeinsam ins Bett, ohne sie aufzuwecken.

Etwa ein halbes Jahr später kommt Großvater eines Morgens in aller Herrgottsfrühe den Pfad zu uns heraufgeeilt und klopft schwer atmend an unsere Tür: »Nun macht schon auf«, schnauft er ungeduldig. Obwohl er meist einen Stock benutzt, ist er noch erstaunlich rüstig für sein hohes Alter, das niemand genau kennt, nicht mal er selbst. »Mandisa!«, ruft er, und spätestens jetzt wissen wir, dass es etwas Ernstes sein muss, denn normalerweise nennen alle Erwachsenen unsere Mutter Mandi. Großvater benutzt ihren vollen Vornamen nur, wenn er streng sein will.

Mutter hat inzwischen den schweren Kessel mit heißem Wasser vom Feuer genommen und ihm die Tür geöffnet. Besorgt schaut sie ihn an: »*Uyaphila, tata* – bist du in Ordnung, Vater?«

Obwohl sie in dieser Zeit öfter daheim ist – die nächste Maisernte beginnt erst in einigen Wochen –, steht sie doch jeden Morgen als Erste auf.

»Ob ich in Ordnung bin?«, fragt er zurück und zieht dabei seine Augenbrauen hoch. »Kinder, ich habe die besten Nachrichten seit langem für euch: Das verlassene Farmhaus an der Straße, die zur Küste führt, wird übernommen von Leuten mit viel Geld, die dort ein Gästehaus, einen *Spaza-Shop* und was weiß ich noch alles aufbauen wollen. Ich habe es selbst erst gestern Abend gehört. Wisst ihr, was das bedeutet?« Großvater schaut uns erwartungsvoll an. Bevor wir auch nur den Mund aufmachen können, fährt er begeistert fort: »*Imisebenzi* – Jobs! Es wird Arbeit geben ... erst für Bauarbeiter, dann später für Leute, die gebraucht werden, um im Gästehaus sauber zu machen, zu bedienen und im Laden zu verkaufen. Mandi, mach dich auf, damit du zu den Ersten gehörst, wenn die Jobs vergeben werden ... Der neue Boss soll heute zum ersten Mal vor Ort sein!«

Noch während Tatomkhulu spricht, hat Mutter ihre Hände getrocknet und die Schürze abgebunden.

Imisebenzi – Jobs! Ein Zauberwort, auf das die meisten hier wie elektrisiert reagieren. *Imisebenzi*, das bedeutet Hoffnung auf bares Geld, auf einen Lohn, egal wie gering der auch sein mag: sich endlich einmal wieder satt essen, vielleicht sogar mit einem richtigen Stück Fleisch, und dann natürlich die dringend nötige Kleidung für den Winter, Saatgut für das Frühjahr, vielleicht sogar ein neues Möbelstück oder die immer wieder aufgeschobene Reparatur des Strohdachs.

»Ich weiß, wo das alte Farmhaus ist«, antwortet Mutter ernst. Sie steht vor dem Spiegel, zieht sich ihr bestes Kleid an und bürstet sich sorgfältig die Haare.

»Dürfen wir mit?«, fragen Nomtha und ich fast gleichzeitig.

Mutter überlegt einen Moment. »Nein, das sieht nicht gut aus«, entscheidet sie dann. »Ich muss dort allein auftauchen und darf nicht zu ärmlich aussehen, sonst klappt es nicht.« Und dann ist sie auch schon aus dem Haus.

Großvater setzt sich zu uns und gießt sich aus der alten Blechkanne Tee in eine Tasse, die noch vom Frühstück auf dem Tisch steht. Nun können wir nur noch warten.

Am frühen Nachmittag, als wir aus der Schule heimkommen, ist Mutter immer noch nicht zurück. Langsam werden wir unruhig. Ist das nun ein gutes oder ein schlechtes Zeichen? »Ein gutes«, sagt Tatomkhulu bestimmt. »Wahrscheinlich haben sie sie sofort angestellt und sie hat schon angefangen zu arbeiten. Eure Mutter kann lesen und schreiben, gut kochen und putzen, sie ist zuverlässig und sieht gut aus und ...« Dann zögert er einen Moment in der stolzen Beschreibung seiner Tochter und fügt, einer möglichen Enttäuschung vorbeugend, hinzu: »Wenn es nur genug Jobs gibt ...«

Erst als es am frühen Abend schon schummrig wird, hören wir Nomthas aufgeregte Stimme aus dem Garten: »*uMama ubuyile* – Mama kommt zurück!« Großvater und ich springen auf, um ihr entgegenzulaufen. An der Tür bleiben wir wie angewurzelt neben Nomtha stehen: Mutter ist nicht allein! Sie wird begleitet von einem älteren Mann, mit dem sie sich angeregt unterhält und den wir noch nie im Leben gesehen haben.

Er ist mindestens zehn Jahre älter als Mutter, groß und kräftig und trägt einen stabilen Lederkoffer. Seine Kleidung lässt darauf schließen, dass er nicht arm ist und aus der Stadt kommt – fast neue Lederstiefel, dunkler Anzug und ein leichter Sommermantel, den er über dem Arm trägt. Als die beiden fast vor uns stehen, sehe ich, dass an seinem Handgelenk eine moderne Uhr funkelt.

»*Molo* Tatomkhulu«, begrüßt er Großvater als den Ältesten zuerst.

»*Molo* Mnumzana«, erwidert Tatomkhulu, wobei er ihn höflich als »Herrn« anspricht.

Der Mann lächelt bescheiden und sagt: »Ich bin einer von euch, kein Herr. Mandisa wird euch gleich berichten. Es ist wie ein Wunder, dass wir uns begegnet sind.« Er wischt sich mit einem sauberen Taschentuch den Schweiß von der hohen Stirn. Trotz des langen Fußmarsches scheint er ansonsten kein bisschen erschöpft zu sein.

Mutter lacht aufgeregt und sucht offenbar noch nach den richtigen Worten, um für uns die Ereignisse des Tages zusammenzufassen: »Erst ging alles schief. Als ich bei dem alten Farmhaus ankam, standen dort bestimmt schon über hundert Frauen und ein paar Männer, die alle wie ich auf einen Job hofften, wobei bis zu dem Moment niemand eine

Ahnung hatte, wie viele es überhaupt geben würde. Und während wir vor dem verschlossenen Tor zur Farm warteten, kamen immer noch mehr hinzu. Und dann der Schock: Etwa gegen elf Uhr bog ein klappriger Lieferwagen von der Hauptstraße in die Einfahrt ab und ein weißer Mann, etwa in meinem Alter, kletterte heraus. Seine Frau war auf dem Beifahrersitz geblieben und hatte nur die Scheibe heruntergekurbelt. Auf der Rückbank sahen wir vier Kinder neugierig herausschauen, alle noch ziemlich klein, der größte Junge höchstens in deinem Alter, Themba.«

Tatomkhulu unterbricht sie, indem er ihr und dem fremden Mann ein Glas Wasser reicht: »Nun setzt euch erst mal und trinkt etwas. Und sag uns erst das Wichtigste, Mandi – hast du denn nun Arbeit bekommen?«

Mutter schüttelt den Kopf, scheint aber gar nicht so betrübt darüber zu sein, wie wir vermutet hätten. »Nein, aber ich habe etwas anderes gefunden«, sagt sie und schaut zu dem Mann in der guten Kleidung. »Um die Wahrheit zu sagen«, fährt sie schließlich fort. »Es gab überhaupt keine Jobs. Alles war mal wieder nur eine aufgeblasene Gerüchteküche. Das weiße Ehepaar ist überhaupt nicht reich. Sie haben erklärt, dass sie das alte Farmhaus und einen kleinen Teil des dazugehörigen Landes nur aufgrund einer Erbschaft kaufen konnten. Und ja, ihr Traum sei es, dort einmal ein Gästehaus zu eröffnen, denn schließlich würden doch jedes Jahr mehr Touristen nach Südafrika kommen. Aber erst mal fangen sie nur mit einem kleinen Laden an, in dem sie Lebensmittel und andere einfache Dinge des alltäglichen Lebens für alle verkaufen wollen, die die Straße zur Küste von Mqanduli nach Gonya benutzen. Und wenn sie irgendwann mal genug Geld verdienen, dann werden sie ganz sicher auch Leute aus der Umgebung einstellen.«

»Die waren wirklich okay«, ergänzt der Mann, von dem

wir immer noch nichts wissen, Mutters Bericht. »Auch ich hatte von den angeblichen Jobs gehört, in Mqanduli. Da war ich am Wochenende zur Beerdigung der Tochter einer guten Freundin. Das Mädchen war gerade dreiundzwanzig …«

»Erst dreiundzwanzig?«, fragt Großvater Anteil nehmend.

»Ja.« Der Mann nickt ernst. »Kein Alter, um zu sterben.« Dann hebt er wieder den Kopf und sieht Mutter an: »Es war reiner Zufall, dass wir in der Warteschlange beim Farmhaus nah beieinander standen.«

»Nicht ganz«, meint Mutter. »Du bist mir wegen deiner ungewöhnlichen Kleidung aufgefallen. Ich dachte erst, du gehörst vielleicht zu den zukünftigen Eigentümern und es kann nicht verkehrt sein, ein Gespräch zu beginnen.« Und dann lässt sie schließlich die Katze aus dem Sack: »Es war der Name jener Bergwerksgesellschaft, die mich aufhorchen ließ. Als du sagtest, dass du dort früher einmal gearbeitet hast, konnte ich nicht anders, als nach Vuyo zu fragen.« Zum ersten Mal, seit ich mich erinnern kann, benutzt sie Vaters Vornamen. Zu uns gewandt, erklärt sie: »Er kannte nicht nur Vater als Kumpel in der Mine, er ist sogar ein entfernter Onkel von ihm, der ihm beim zweiten Mal geholfen hat, dort wieder eine Arbeit zu bekommen.« Und mit einem Blick zu ihm: »Das stimmt doch so, Luthando, nicht?«

Der Mann nickt erneut und reicht nun auch Nomtha und mir die Hand: »Und wie heißt ihr?«

Nomtha sagt artig ihren Namen.

Obwohl ich Mutters Freude verstehen kann, endlich jemanden gefunden zu haben, der unseren Vater kennt, spüre ich tief in mir ein diffuses Unbehagen und gebe ihm nur schweigend meine Hand.

»Sagt doch einfach Onkel Luthando«, schlägt Mutter arglos vor. Sie hat nichts von meiner Reserviertheit gemerkt.

An diesem Tag zieht Onkel Luthando zu uns und nimmt als Vaters Verwandter einfach dessen Platz in unserer Familie ein. Als sei das ganz selbstverständlich. Na ja, oft ist es das ja auch. Trotzdem, finde ich, hätte er wenigstens fragen können, schließlich gehört ihm hier nichts, und wir schon gar nicht.

Zunächst scheint Mutter Recht zu behalten mit ihrer Freude über den unerwartet aufgetauchten Verwandten ihres verschwundenen Mannes. Bescheiden richtet er sich ein Lager auf dem kahlen Boden gegenüber unserer und Mutters Bettstelle her. Aus seinem Koffer holt er schon am nächsten Morgen einfache Arbeitskleidung und beginnt, während wir zur Schule gehen und Mutter einer schwangeren Nachbarin hilft, unaufgefordert kleinere Dinge am Dach zu reparieren und ein neues Beet im Garten anzulegen, für das er aus eigener Tasche von einem Nachbarn Tomatenpflanzen kauft.

Die folgenden Abende sitzen er und Mutter bis spät in die Nacht zusammen und berichten einander alles, was sie über Vater wissen.

»Er hat ihn wirklich gekannt, daran besteht kein Zweifel«, sagt sie einmal abends verschwörerisch zu Nomtha und mir, bevor sie uns einen Gutenachtkuss auf die Stirn gibt. »Auch wenn er ihn seit damals, als er plötzlich verschwand, ebenso wenig wiedergesehen hat wie wir. Aber vielleicht können wir gemeinsam eine Spur finden.«

Vorm Einschlafen überrascht mich Nomtha mit einem Satz, den ich von ihr nicht erwartet hätte: »Ich sehe, dass du ihn nicht magst, Themba. Ich auch nicht.«

»Warum magst du ihn nicht, Nomtha?«

»Ich weiß nicht«, flüstert sie leise.

Mir geht es genauso. Jedenfalls damals noch.

Ein paar Wochen später wird die Mutter von Sipho, der in der Klasse neben mir sitzt, so krank, dass er längere Zeit nicht zur

Schule kommen kann, weil er sich um sie und die kleineren Geschwister kümmern muss. Seit Onkel Luthando bei uns wohnt, ist unser Gemüsegarten so gut in Schuss, dass Mutter mir ab und zu erlaubt, Sipho einen Kürbis oder ein paar Mohrrüben zu bringen. Ich darf niemals bei ihm reinkommen, sondern muss ihm das mitgebrachte Gemüse vor dem Haus geben.

»Ist deine Mutter denn so krank?«, frage ich ihn einmal direkt.

»Das ist es nicht nur …«, antwortet er unsicher. »Sie will einfach nicht, dass jemand außer uns sieht, wie es ihr geht.«

Ganz offensichtlich will er mit mir nicht weiter über seine Mutter reden. Sipho ist von allen Mitschülern meiner Klasse der Einzige, der bei uns in der Nähe wohnt, sodass wir einander auch nach der Schule besuchen könnten. Es sind gerade mal zwanzig Minuten flussabwärts und über die beiden östlichen Hügel. Sonst wohnen hier in der Umgebung nur kleinere Kinder und mit denen kann Nomtha mehr anfangen als ich. Eigentlich hätte ich Sipho gern zum Freund.

Ihm scheint Ähnliches durch den Kopf zu gehen. »Spielst du gern Fußball?«, fragt er ein bisschen schüchtern.

Ich nicke. »Hast du denn einen Ball?«

Sipho macht auf der Stelle kehrt, läuft ins Haus und kommt einen Moment später mit einem richtigen Lederball wieder zum Vorschein.

Bewundernd nehme ich ihn in die Hand. Er ist nicht neu, aber gut eingefettet und perfekt aufgepumpt. »Super!«, sage ich anerkennend. »Ist das deiner?«

»Von meinem großen Bruder«, antwortet Sipho. Ich spüre, wie stolz er auf seinen Bruder ist und dass er ihn offenbar vermisst.

»Wie alt ist dein Bruder?«, frage ich nach.

»Er wäre jetzt zwanzig«, sagt Sipho leise.

Wieso wäre?

Sipho schaut mich zum ersten Mal direkt an. Für einen Moment ist er nicht schüchtern, sondern nur bitter, grenzenlos bitter. Vielleicht auch traurig, dass ihn sein Bruder aus irgendeinem Grund im Stich gelassen hat, nachdem er ihm diesen Klasseball geschenkt hat.

»Er ist letztes Jahr gestorben«, fügt Sipho hinzu und nimmt mir den Ball aus der Hand. Er legt ihn vor sich ins Gras, nimmt kurz Anlauf und legt dann einen Abschlag von bestimmt dreißig Metern vor.

»*Yiza* – komm!«, schreit er und stürzt vor mir den Abhang hinunter.

An diesem Abend komme ich so spät nach Hause, dass Mutter schon anfängt, unruhig zu werden.

Von da an bringe ich etwa zweimal pro Woche Mohrrüben, Spinat oder Kohl zu Sipho. Als die Erntezeit zu Ende geht und wir kein Gemüse mehr zu verschenken haben, besuche ich ihn trotzdem weiter. An den anderen Nachmittagen muss ich Großvater helfen, den Hühnerstall zu säubern und seine paar Ziegen zu hüten. Auch das Sammeln von Brennholz habe ich schon lange von Mutter übernommen. Nomtha hilft Mutter im Haus und geht mit ihr und den anderen Frauen hinunter ans Flussufer zum Waschen und Wasserholen.

Wenn Sipho und ich zusammen sind, reden wir eigentlich nie viel miteinander. Wir spielen fast immer Fußball. Egal ob es so heiß ist, dass selbst die Ziegen und Kühe nur noch ermattet im Schatten liegen und nichts mehr fressen, oder so kalt, dass wir unseren Atem als kleine Dampfwolken ausstoßen – Sipho und ich spielen immer Fußball. Die ersten paar Wochen spielen wir ausschließlich zu zweit, wobei nur ab und zu seine jüngeren Geschwister zuschauen dürfen, wenn seine Mutter Ruhe braucht. Je nach Stimmung sind wir entweder knallharte Gegner, die mindestens um den ersten Platz in der südafrikanischen *PSL*, der ersten Liga des Landes, kämpfen, oder aber wir spielen zusammen in einem Zweierteam, in dem wir abwechselnd alle wichtigen Positionen von der Verteidigung bis zum Sturm übernehmen und uns gegenseitig mit astreinen Pässen und Vorlagen versorgen.

Natürlich trainieren wir für alle Fälle auch immer mal wieder als Torwart, aber nur bei gutem Wetter, denn es macht keinen Spaß, so lange auf einer Stelle zu stehen und die harten Bälle abzubekommen. Unsere mangelnde Begeisterung für diesen Posten gleichen wir dadurch aus, dass wir meistens ohne Torwart spielen und den Abstand zwischen den Torpfosten – ein paar angehäufte Steine links und rechts – entsprechend verkleinern. Als weitere Erschwernis haben wir uns die Regel ausgedacht, dass man auf diese Minitore nur aus einem bestimmten Mindestabstand schießen darf. Übrigens sind wir ziemlich streng, was unsere Regeln betrifft: Wer aus zu großer Nähe aufs Tor schießt, wird mit einem Elfmeter des Gegners bestraft.

Das Kicken am Nachmittag ist um Längen besser als alles, was sich in der Schule im Sportunterricht oder in der Fußball-AG am Donnerstag abspielt. Im Unterricht kommt Fußball meist zu kurz. Mr Makete, unser Sportlehrer, beschäftigt die Meute von über achtzig Schülern pro Klasse lieber komplett, als dass nur zweiundzwanzig von uns in zwei Mannschaften Fußball spielen und der Rest rumsitzt und zuschaut. Und in der Fußball-AG bestimmen immer nur die Großen ab sechzehn, was läuft und was nicht. Einige von denen sind wirklich gut, aber sie machen das fast immer nur untereinander aus. Jüngere wie Sipho und ich dürfen da gerade mal den Ballholer spielen. Dann gucken wir uns nur still an und denken: Ihr könnt uns mal, morgen oder übermorgen sind wir wieder unter uns und dann wird richtig Fußball gespielt.

Wenn wir kicken, vergessen wir alles andere – Sipho die Sorgen um seine kranke Mutter, die ich tatsächlich in all den Wochen bis dahin nicht einmal zu Gesicht bekommen habe, und ich … Onkel Luthando.

Am Anfang gebe ich mir leidlich Mühe, meine Abneigung ihm gegenüber zu verbergen. Eine ganze Weile lang gelingt mir das sogar. Er tut Mutter gut, das ist nicht zu übersehen. Ich sollte froh sein. Endlich hat sie abends einen Erwachsenen außer Tatomkhulu, mit dem sie reden kann. Und er bezahlt einen Beitrag zum Essen und noch etwas extra für

Miete, obwohl er ja im weitesten Sinne zur Familie gehört. Nachts schläft er nach wie vor auf seinem Lager gegenüber unseren Matten, und etwa alle zwei Wochen zieht er seinen guten Anzug an und fährt für einen Tag nach Mqanduli oder Umtata, um dort »Geld aus einem Automaten zu holen«, wie er sagt. Womit er das Geld verdient, weiß keiner. Das scheint Mutter aber bisher nicht zu beunruhigen. Auch nicht, dass wir über die Zeit, seit er vom Bergwerk wegging, und wen oder was er zurückgelassen hat, bevor er nach Qunu kam, beinah genauso wenig wissen wie über Vaters Leben nach diesem Zeitpunkt.

»Hat er denn keine Frau und Kinder?«, fragt Nomtha eines Morgens, als er sich draußen wäscht.

»Er sagt, dass sich seine Frau von ihm getrennt hat, als er noch im Bergwerk war«, berichtet Mutter. »Einmal kam er unerwartet eher nach Hause und hat sie mit einem fremden Mann im Bett erwischt. Erst hat er sie geschlagen, aber dann hat er gemerkt, dass sie ihn nicht mehr liebt, und schließlich ist er von ihr und den Kindern weggegangen.«

»Und? Glaubst du das?«, frage ich nach.

»Ich weiß nicht …«, antwortet sie ehrlich. »Ich merke, dass er Geheimnisse hat, aber so lange ist er ja noch nicht bei uns.«

»Wie lange will er denn noch bleiben?«, fragt nun wieder Nomtha.

Mutter kennt uns gut genug, um zu spüren, dass wir ihn nicht leiden können.

»Seid ihr eifersüchtig? Wollt ihr, dass er geht?«

Nomtha und ich schauen uns an. Sind wir eifersüchtig? Vielleicht. Aber wir drucksen mit einer Antwort herum, denn darum geht es doch eigentlich nicht. Am Ende sagen wir gar nichts.

»Ich möchte ihn nicht einfach so vor die Tür setzen«, sagt Mutter. »Und vergesst nicht, dass ich eure neuen Hemden für die Schuluniform nur von seiner Miete bezahlen konnte.«

Nomtha und ich schweigen noch immer. Nomtha dreht ein paar ihrer Spielsteine in der Hand hin und her und ich stochere mit meinem Hirtenstock im Sand.

Etwa eine Woche vor meinem dreizehnten Geburtstag ist wieder mal einer jener Tage, an denen Onkel Luthando schon früh aufbricht, um Geld aus der Stadt zu holen und noch »ein paar andere kleine Geschäfte zu erledigen«, wie er beim Frühstück erklärt.

Alles ist wie sonst auch, niemand von uns bemerkt etwas Ungewöhnliches.

Dass er Mutter einen Abschiedskuss gibt, ist auch schon mal vorgekommen und geht im Prinzip nicht weiter als eine herzliche Verabschiedung zwischen Verwandten. Da er inzwischen weiß, dass er bei Nomtha und mir mit so was nicht landen kann, winkt er uns nur kurz zu und ruft: »*Sobonana, bantwana* – bis später, Kinder!« Wir nicken und kauen ruhig weiter.

Bis dahin ist Onkel Luthando immer vor Einbruch der Dunkelheit aus der Stadt zurückgekommen. An diesem Abend wartet Mutter mit dem Essen bis spät in die Nacht. »Vielleicht hat er den letzten Bus verpasst«, versucht Tatomkhulu sie zu beruhigen.

Er wartet mit uns noch eine Weile, geht dann aber doch zurück zu seiner Hütte zum Schlafen. »Wenn etwas ist, schickst du den Jungen«, sagt er und nimmt seinen Stock. Er streicht Nomtha und mir liebevoll über den Kopf.

Kurz nachdem er gegangen ist, erklärt Mutter entschlossen: »Wir gehen jetzt auch schlafen. Bestimmt wissen wir morgen mehr.« Sie deckt Nomtha, die sich schon hingelegt hat, zu und nimmt mir vorsichtig ein Schulbuch aus der

Hand, in dem ich noch gelesen habe. Dann pustet sie die letzte Kerze aus.

Bevor ich einschlafe, höre ich Mutter, wie sie sich unruhig hin und her wälzt, schließlich wieder aufsteht, zum Fenster geht und durch den Spalt im Vorhang nach draußen schaut. Als sie sich wieder umdreht, halte ich meine Augen fest geschlossen.

Mitten in der Nacht werden wir gleichzeitig wach, als sich ein Auto mit übertrieben hochgepeitschtem Motor den kleinen Pfad zu unserer Hütte hinaufquält. Die vielen Schlaglöcher auf dem Weg lassen die Scheinwerfer des Autos auf und ab tanzen und ein wildes Lichtspiel auf die Gardine werfen. Mutter ist als Erste an der Tür und reißt sie weit auf. Ihr im Wind flatterndes Nachthemd wird wie auf einer Bühne angestrahlt. Mit der rechten Hand schirmt sie ihre Augen gegen das grelle Licht ab und versucht zu erkennen, wer in dem Auto sitzt, das jetzt vor dem Eingang zu unserem Garten hart abbremst. Der Motor stirbt mit einem Knall ab.

Inzwischen bin ich neben ihr und sehe, wie ein junger Mann auf der Fahrerseite herausspringt und Mutter zuruft: »Sind Sie Mandisa?«

Als Mutter nickt, winkt er sie herbei und sagt: »Sie müssen mir helfen. Luthando ist verletzt. Er hat mir befohlen, ihn hierher zu bringen.«

Mutter und ich rennen gleichzeitig zum Auto. Erst als wir unmittelbar davor stehen, erkennen wir Onkel Luthando, scheinbar schlafend auf dem Rücksitz in einer eigenartig zusammengekauerten Position.

»Messerstiche, zwei oder drei, er hat Blut verloren«, erklärt der fremde Mann. »Bevor er ohnmächtig wurde, hat er klar gesagt: keinen Arzt!«

Dann öffnet er eine der hinteren Wagentüren und zerrt Onkel Luthando am Oberkörper grob heraus, bis dessen

Füße auf den Boden fallen. Dann schnauzt er uns an: »Nun fasst schon mit an, verdammt!«

Mutter ergreift Luthandos Beine, aber der Onkel ist schwer, und sein Begleiter wird immer ungeduldiger. Schließlich gelingt es, als ich das rechte Bein nehme und Mutter das linke. Zu dritt schleppen wir ihn hinauf in unsere Hütte. Nomtha, die im Türrahmen steht und uns entsetzt zugeschaut hat, springt im letzten Moment zur Seite. Der Mann sieht Mutters Bett, zerrt uns dorthin mit und lässt dann Onkel Luthandos Oberkörper einfach fallen.

»Er hat zwei Stiche im Arm, soweit ich das mitbekommen habe, und einen im Bauch«, sagt er dann und wischt seine blutverschmierten Hände an Mutters sauberer Bettdecke ab.

»Was ist denn nur geschehen?«, stößt Mutter endlich hervor.

Aber der junge Mann ist schon an der Tür: »Das soll er Ihnen lieber selbst erzählen. Und nicht vergessen: keinen Arzt, keine Polizei!« Damit dreht er sich ohne ein weiteres Wort um und läuft zurück zum Auto. Der Motor springt mit einem erneuten Knall an. Er wendet den Wagen ungeschickt und holpert dann mit aufheulendem Motor den Pfad hinunter zur Straße. Während der Lärm langsam abebbt, gehen in zwei Hütten auf einem der Hügel gegenüber die Lichter an.

»*Kwenzeka ntoni* – was ist los? Braucht ihr Hilfe?«, schreit die alte Nachbarin, die wir alle Mama Zanele nennen und deren Rundhütte auf dem Hügel gegenüber steht. Ihr Mann ist schon lange tot, die älteren Kinder sind aus dem Haus und ihre jüngste Tochter starb vor gut einem Jahr nach einer längeren Krankheit.

»Luthando hatte einen Unfall«, ruft Mutter zurück. »Aber wir schaffen das schon.«

»Ich komme!«, schreit sie erneut.

Wir gehen zurück ins Haus, Mutter schließt die Tür von innen. Nomtha entzündet eine Öllampe, während ich einen Kessel mit Wasser auf den kleinen Paraffinkocher stelle. Mutter hat sich inzwischen über Onkel Luthando gebeugt und mit einer Schere sein Hemd aufgeschnitten, sodass wir genauer sehen können, welcher Art seine Verletzungen sind. Tatsächlich hat er zwei längere Wunden am rechten Oberarm, die noch immer stark bluten. Eine kleinere Wunde in der linken Bauchseite blutet kaum, aber es ist trotzdem nicht zu sehen, wie tief der Stich ging und was beschädigt ist. Mir fällt auf, dass seine Armbanduhr fehlt, aber ich sage nichts.

Mutter benutzt einen Teil seines Hemdes, um mit einem Druckverband die Blutung am Arm zu stillen. Wir arbeiten schweigend, wie ein eingespieltes Erste-Hilfe-Team, sogar Nomtha hilft mit, als wäre sie nicht erst elf. Bevor wir uns der Wunde am Bauch widmen, wischt Mutter mit einem kühlen, feuchten Lappen über Onkel Luthandos Gesicht und schlägt ihm dann einige Male mit der flachen Hand auf seine Wangen. »Er muss aufwachen und trinken, er hat schon zu viel Blut verloren«, sagt sie.

»Ich weiß«, sagt Nomtha und nickt wie eine routinierte Oberschwester.

Gerade als Onkel Luthando endlich die Augen aufschlägt, klopft es an die Tür und Mama Zanele stolpert herein. Hinter ihr stehen noch drei oder vier Nachbarinnen, die neugierig schauen, aber von ihr angewiesen werden, draußen zu warten.

»Was ist denn nur geschehen?«, fragt sie mit heiserer Stimme.

»Luthando hatte einen Unfall …«, stammelt Mutter, und ich kann sehen, wie der Onkel sie flehentlich anschaut, dass sie nur ja kein falsches Wort sagt.

Mama Zanele hat in ihrem langen Leben schon viel gesehen. Bis zum Tod ihrer Tochter hat sie auch ihre Dienste als *Sangoma* angeboten, und so wie sie ungefragt ins Haus gekommen ist, schaut sie nun kritisch auf die Wunde in Onkel Luthandos linker Bauchseite, tastet mit zwei Fingern mehrere Stellen daneben ab und sagt schließlich mit ruhiger Stimme: »Der Mann muss ins Krankenhaus.«

Es ist das erste Mal, dass der Onkel den Mund aufmacht und zu sprechen versucht. Es kommt kein Ton heraus. Mutter flößt ihm ein paar Schlucke Wasser ein, dann versucht er es erneut: »Bitte kein Krankenhaus … ich werde es schaffen.«

»Ein Unfall …«, brummt Mama Zanele missmutig. »Unfall der fliegenden Messer.« Und zu uns gewandt: »Mandisa, die Bauchwunde scheint tatsächlich nicht so tief zu sein, aber es bleibt ein großes Risiko, keinen Arzt zu holen. Die Entscheidung kann ich euch nicht abnehmen«, sie zögert einen Moment, »aber ich habe noch Kräuter und andere Medikamente gegen Schmerzen von meiner Tochter damals. Die kann ich euch bringen.« Und als sie schon an der Tür ist, fügt sie noch hinzu: »Weißt du, dass die Frau des *Mlungu*, der den kleinen Laden an der Autostraße eröffnet hat, wo wir damals alle auf Arbeitssuche waren, früher als Krankenschwester gearbeitet hat?«

Mutter erhebt sich vom Bett neben Onkel Luthando: »*Enkosi kakhulu* – ich danke dir sehr, Mama Zanele.«

In den folgenden Stunden bis zum frühen Morgen kocht Mutter mehrere Tücher aus, um sie als saubere Verbände benutzen zu können. Einige Nachbarinnen helfen erst noch, Wasser zu holen, gehen dann aber gemeinsam mit Mama Zanele heim, weil aus Mutter nichts mehr herauszubekommen ist.

Als Mutter mit einer von Mama Zanele mitgebrachten Desinfektionslösung die Wunden säubert, schreit der Onkel nur einmal kurz auf, beißt dann aber die Zähne zusammen und macht keinen Mucks mehr. Ununterbrochen versucht sie, ihm Tee einzuflößen, den sie mit Kräutern von Mama Zanele gekocht hat.

Viel Schlaf bekommen wir in dieser Nacht nicht. Irgendwann spät sagt Mutter zu mir, als Nomtha und der Onkel endlich eingeschlafen sind: »Themba, ich werde um Luthandos Leben kämpfen. Ich bin sicher, dass er in irgendetwas verwickelt war, was Unrecht ist, aber ich bin nicht sein Richter. Er kannte meinen Mann, er ist sogar ein Onkel von ihm. Ich tue das auch für Vuyo, euren Vater.«

Am nächsten Morgen scheint es dem Onkel zunächst etwas besser zu gehen. Die Schmerzmittel von Mama Zanele zeigen Wirkung. Großvater, den Mama Zanele informiert hat, bringt am Vormittag zur Sicherheit noch eine halb volle Flasche billigen Brandy mit. »Das hilft auch«, meint er aufmunternd und klopft Onkel Luthando auf die Schulter.

Am Nachmittag des zweiten Tages verschlechtert sich sein Zustand jedoch wieder. Mutter befühlt seine Stirn: »Fieber!«

Da es am nächsten Morgen nicht besser ist, bleibt Mama Zanele mit uns an seinem Bett und hilft mit kalten Umschlägen und weiteren Kräutern, während Mutter sich auf den Weg zur Frau des Ladenbesitzers macht. Gut drei Stunden später hält der klapprige Lieferwagen, von dem Mutter uns schon erzählt hat, vor unserem Garten. Zuerst steigt Mutter aus, dann eine schlanke Frau mit kurzen blonden Haaren und schließlich ein weißer Junge in meinem Alter.

»Das sind Mrs Steyn und ihr Sohn Andries«, sagt Mutter auf Englisch.

Wir nicken uns unsicher zu, und Andries sagt: »Andy – ich heiße Andy!«

»*Molweni* – guten Tag«, sagt Mrs Steyn auf Xhosa. »Ich

habe ein paar Worte gelernt, als ich noch in der Tagesklinik gearbeitet habe, aber leider das meiste inzwischen vergessen.«

Dann gehen wir alle ins Haus, und es ist zu sehen, dass Onkel Luthando angesichts der großen Delegation erschrickt. Fragend schaut er Mutter an, doch bevor sie etwas erklären kann, sagt Mrs Steyn: »Ich weiß, dass Sie einen Unfall hatten. Ich bin keine Ärztin, war nur früher mal Krankenschwester und habe mit meinem Mann heute den Laden an der Autostraße, erinnern Sie sich?« Langsam scheint es bei Onkel Luthando zu klingeln. Er lächelt sogar ein wenig und sagt leise: »Ja, danke.«

Dann werden wir alle von Mama Zanele und Mrs Steyn hinausgeschickt, damit die beiden den Onkel in Ruhe untersuchen können. Draußen haben sich inzwischen mehrere Nachbarinnen und einige Kinder versammelt, die den Lieferwagen haben vorfahren sehen. Eine fragt Mama flüsternd, aber doch laut genug, dass es alle hören können:

»Ist er tot?«

Mutter schüttelt nur ärgerlich den Kopf.

Nomtha und ich stehen zufällig neben dem weißen Jungen. Ich sehe ein großes Pflaster auf seinem rechten Knie und frage: »Hattest du auch einen Unfall?«

Er schüttelt den Kopf und meint: »Das ist nichts. Ist beim Fußball passiert.« Dann fragt er mich: »Spielst du auch?«

Als ich nicke, fragt er weiter: »Im Verein?«

Erst sage ich: »Ja«, und denke stolz an all die Profi-Nachmittage mit Sipho. Dann muss ich lachen und antworte ehrlich: »Nicht richtig. Ein Freund und ich haben eine Art kleinen Verein gegründet.«

Jetzt scheint Andy wirklich interessiert: »Wie heißt der denn?«

»Mmh …«, winde ich mich ein wenig, »wir haben noch

keinen Namen.« Um die Wahrheit zu sagen: Über einen Namen haben wir uns noch nie Gedanken gemacht. Aber vielleicht ist das ja eine gute Idee.

Bevor wir weiterreden können, geht die Tür wieder auf, und Mama Zanele und Mrs Steyn teilen uns und allen anderen neugierig Wartenden das Ergebnis ihrer Untersuchung mit: »Der Onkel hat gute Chancen, wenn es keine weiteren Infektionen gibt. Für den Moment ist alles in Ordnung. Sollte er aber erneut hohes Fieber bekommen, bleibt nur der Weg ins Krankenhaus.«

Als wir eine halbe Stunde später Mrs Steyn und Andy zu ihrem Lieferwagen begleiten, höre ich, wie Mrs Steyn Mama Zanele fragt, woher sie die guten Medikamente hat. Mama Zanele antwortet: »Die waren von meiner Tochter, die gestorben ist. Für sie waren die Medikamente leider nicht gut genug. Es gab auch damals schon bessere, aber die konnte ich nicht bekommen …«

Da fragt Mrs Steyn so direkt, wie wir das niemals tun würden, nach: »Ach, woran ist Ihre Tochter denn gestorben?«

Jeder hier weiß, dass Mama Zaneles Tochter an einer schweren Lungenentzündung gestorben ist, als sie Mitte zwanzig war. Wir alle waren damals auf der Beerdigung. Mama Zanele, die direkt vor mir geht, bleibt für einen Moment stehen, holt tief Luft und dreht sich dann sogar um, sodass es alle hören können: »Meine Nomalinde ist an *AIDS* gestorben, an AIDS, Mrs Steyn – kein Unfall! Die Lungenentzündung hatte nur eine Ursache: AIDS!«

Mrs Steyn legt einen Arm um Mama Zaneles Schulter. Die ehemalige Heilerin und die ehemalige Krankenschwester … Einige der Nachbarinnen, die noch nicht nach Hause gegangen sind, schauen erschrocken zu Boden und gehen dann schweigend weiter, als hätten sie nichts gehört.

Ich habe das englische Wort AIDS schon öfter auf Plakaten in der Schule gesehen, und ich habe im Radio oder Fernsehen gehört, wie Menschen, die ich nicht kenne, es aussprechen. Mama Zanele ist der erste Mensch in meinem Leben, den ich gut kenne und der dieses Wort in den Mund nimmt.

Bevor Andy und seine Mutter abfahren, kurbelt er seine Scheibe runter und fragt: »Darf ich mal mitspielen in eurem Verein?«

Einen Tag vor meinem dreizehnten Geburtstag steht Onkel Luthando zum ersten Mal allein wieder auf. Das Schlimmste scheint überstanden, auch wenn er noch immer Schmerzen hat und viel dünner geworden ist. Mutter ist so erleichtert, ja beinah übermütig, dass sie hat helfen können und dass bis jetzt alles gut gegangen ist. Am Nachmittag rasiert und wäscht er sich und zieht sich frische Sachen an.

Am Abend dieses Tages, als Nomtha schon schläft und Mutter glaubt, ich schliefe auch, stoßen sie und Onkel Luthando erst ganz leise mit Großvaters Brandy auf diesen Erfolg an und dann noch einmal darauf, dass sie sich überhaupt in diesem Leben getroffen haben. Das nächste Glas trinken sie schon nicht mehr so leise darauf, dass niemand dahinter gekommen ist, warum jemand den Onkel mit einem Messer umbringen wollte. Und vor dem nächsten ruft Mutter ausgelassen: »Luthando, jetzt ist es aber an der Zeit, dass du mir die Wahrheit sagst, nichts als die Wahrheit!« Sie stottert ein wenig, was wahrscheinlich vom Alkohol herrührt.

Onkel Luthando hat eine Hand um ihre Schulter gelegt und zieht mit der anderen ihr Gesicht dicht an das seine. Auch er spricht undeutlich, aber ich kann trotzdem jedes Wort verstehen: »Erst wenn du mir einen Kuss gibst, mein Engel.«

Tatsächlich gibt Mutter ihm einen Kuss. Keinen langen, leidenschaftlichen, aber doch einen Kuss. Mein Herz klopft wie verrückt. Am liebsten würde ich laut schreien oder zumindest hinauslaufen, aber ich bleibe wie gelähmt liegen, während mir am ganzen Körper der Schweiß ausbricht.

»Und jetzt bist du dran!«, sagt Mutter und lacht dabei wieder, wie ich es überhaupt nicht von ihr kenne.

Schließlich senkt Onkel Luthando seine Stimme und spricht sehr schnell, offensichtlich um es hinter sich zu bringen: »Es ging um *intsangu*, weißt du, *dagga* eben – Haschisch und so. Ich war ein Mittelsmann. In Umtata gibt es eine Stelle, wo eine Menge davon umgeschlagen wird. Mein Job war es, einen kleinen Teil mitzunehmen und an Leute weiterzuverkaufen, die dann an der Küste bei den großen Hotels ihr Geschäft machen. Dabei habe ich Streit mit einem der Bosse bekommen. Beinah wäre es schief gegangen. Den Job bin ich für immer los, aber dafür hast du mir das Leben gerettet.«

Ich könnte schwören, dass sie sich wieder küssen, aber ich traue mich nicht, die Augen zu öffnen. Mutter flüstert etwas, was ich nun wirklich nicht mehr verstehen kann, obwohl ich die Ohren spitze wie verrückt. Dann flüstert wieder Onkel Luthando und schließlich höre ich alle möglichen Bewegungen und weiteres Flüstern und unterdrücktes Lachen… und das dauert und dauert und dann so etwas wie ein Stöhnen oder schweres Atmen, dann wieder Flüstern und schließlich ist Ruhe. Ich bin sicher, dass sie gemeinsam in Mutters Bett liegen.

Es dauert vielleicht zehn oder zwanzig Minuten, bis es mir endlich gelingt, meine Erstarrung zu überwinden, die Decke zurückzuschlagen und die Augen zu öffnen. Mein Hemd und meine Unterhose sind schweißnass. Es muss lange nach Mitternacht sein, denn der Mond steht bereits tief. Ich erhebe mich mühsam und gehe, ohne das geringste Geräusch zu machen, zu dem abgedeckten Eimer mit frischem Wasser. Ich trinke drei Gläser jeweils in einem Zug aus.

Dann setze ich mich auf den Boden und lege beide Handflächen auf die kühle Erde. Zu Mutters Bett schaue ich nicht hinüber. Seit kurzem bin ich dreizehn Jahre alt.

Suyafana neengonyama

Löwen wie wir

Schon möglich, dass Mutter und Onkel Luthando die besten Vorsätze haben, jedenfalls eine Zeit lang. Weder Nomtha noch ich sagen ein Wort, als Onkel Luthando von nun an mit Mutter in einem Bett schläft. Aber eine Woche nach meinem dreizehnten Geburtstag schiebt Nomtha, ohne mich zu fragen, unsere beiden Matten so weit wie möglich von Mutters Bett weg. So klein, wie unsere Hütte ist, beträgt der Unterschied nur knapp zwei Meter. Doch jeder versteht die Geste, auch Onkel Luthando. Als wolle er zeigen, dass Nomtha und ich ihn falsch einschätzen, steht er in den kommenden drei Monaten jeden Morgen, außer sonntags, früh auf, um Arbeit zu suchen. »Eine richtige Arbeit«, betont Mutter und nickt uns zu.

In der Regel macht er zuerst eine Runde bei verschiedenen Farmen der Umgebung, und da dies meist erfolglos ist, sitzt er dann mit den anderen Männern bis Mittag an der Kreuzung zur Straße nach Mqanduli, wo sie stundenlang warten und hoffen, dass ein Bauunternehmer oder Farmer sie für einen Tag irgendwo braucht und im offenen Lastwagen mitnimmt. Drei- oder viermal hat Onkel Luthando Glück und darf aufspringen. Für zehn, zwölf Stunden auf dem Feld oder einer Baustelle bekommt er gerade genug, um abends zwei oder drei kleine Scheine in Mutters Blechbüchse hinter den Kochtöpfen zu stecken.

Solange er sich jeden Morgen wäscht, seine Arbeitskleidung anzieht und aufbricht, geht es gut zwischen Mutter und Onkel Luthando. Sie verteidigt ihn, auch wenn wir gar nichts sagen. »Luthando kann nichts dafür«, erklärt sie uns, »es ist wirklich nicht leicht, hier Arbeit zu finden.« Oder sie verkündet: »Er hat mir versprochen, nichts Illegales mehr zu tun. Das ist mir das Wichtigste.« Am Nachmittag schläft er oft, und erst am frühen Abend, wenn es kühler ist und Mutter vom Maisfeld oder der Kürbisernte zurückkommt, beginnt er, noch im Garten zu arbeiten. Ihm fehlt jedoch zunehmend die Begeisterung der ersten Zeit. Meistens hat er nach einer Stunde genug. Wenn Mutter Überstunden machen muss, geht er zu Tatomkhulu hinüber und bei seiner Rückkehr nach Einbruch der Dunkelheit riecht sein Atem nach Brandy. Einmal kommt es zum Streit mit Mutter, weil Onkel Luthando die Tomatenpflanzen, die er selbst gezogen hatte, aus Unachtsamkeit hat vertrocknen lassen.

Nach der Schule hält Nomtha das Haus sauber, wäscht die Kleidung und das Bettzeug am Fluss. Ich sammle Feuerholz, arbeite im Garten, wenn Onkel Luthando nicht da ist, und helfe Nomtha beim Wasserholen. Ab und zu gehen wir zu verschiedenen, weiter entfernt wohnenden Nachbarn, die Paraffin, Öl oder Salz verkaufen, und machen Besorgungen, die Mutter uns am Vorabend aufgetragen hat. Doch immer öfter können wir nichts kaufen, weil kein Geld mehr in der Blechdose ist. Tatomkhulu hilft, wo er kann, aber seine kleine Rente reicht kaum für ihn allein. Einmal gibt er Nomtha und mir einen ganzen Laib Brot mit, wobei wir sehen, dass in seinem kleinen Holzschrank, in dem er sonst seine Lebensmittel aufbewahrt, nur noch jene dunkle Flasche steht, die er ab und zu abends allein oder mit Onkel Luthando öffnet. Mit einem Augenzwinkern meint er: »Ist meine Medizin, die hilft sogar gegen Hunger!«

Zum Glück hat Mutter noch ihre Arbeit auf einer größeren Farm, auf der sie auch außerhalb der Haupterntezeit ab und zu im Haus der Familie beim Saubermachen hilft. Es hat mehrere Entlassungen gegeben nach der letzten Ernte, aber Mutter bleibt optimistisch: »Ich bin bei denen nun schon über drei Jahre, die kennen mich. Es fliegen immer zuerst die raus, die zuletzt gekommen sind.« Von ihrem kärglichen Lohn ernährt sie nun auch noch Onkel Luthando. Als er ihr anbietet, seinen Anzug und den Lederkoffer zu verkaufen, um ihr das Geld zu geben, lehnt sie stolz ab und entgegnet: »Den kannst du sicher noch mal besser gebrauchen. Lass uns das für einen Notfall aufsparen.«

Im folgenden Winter gehen meine einzigen Schuhe kaputt, obwohl ich sie nur noch in der Schule getragen habe, um sie zu schonen. So oft habe ich sie geflickt, dass ich dachte, all die extra Lederstücke und Nähte würden inzwischen wie eine zweite Lage den ursprünglichen Schuh ersetzen und so noch eine Weile halten. Aber dann regnet es vier Tage hintereinander. An einem Nachmittag auf dem Weg von der Schule nach Hause ist es schließlich so weit: Nomtha und ich eilen durch den strömenden Regen und versuchen, mit kleinen und großen Sprüngen den tieferen Pfützen auszuweichen, als die Reste meiner Schuhe sich plötzlich auflösen, als seien sie aus Papier. Als Erstes klappt die Sohle am linken Schuh hinten auf und zerbröckelt in mehrere Teile. Gleich darauf lösen sich am rechten Schuh oben die Lederstücke ab, die nur noch mühsam durch einen mehrfach verknoteten Schnürsenkel zusammengehalten wurden. Erst versuche ich noch wie früher, die Einzelteile einzusammeln, um sie später erneut zusammenzuflicken. Aber alles zerfällt oder löst sich auf, als ich es anfassen und aufheben will. Nomtha steht eine Weile stumm und ernst neben mir. Dann kommt sie einen Schritt auf mich zu, nimmt mir die feuchten Lederreste aus der Hand und schleudert sie mit voller Kraft gegen einen hervorstehenden Felsen, wo sie noch eine Sekunde hilflos hängen bleiben, bevor sie langsam nach unten rutschen und platschend ins nasse Gras fallen.

»Themba«, ruft sie durch den prasselnden Regen, »wenn ich groß bin, werde ich reich, und dann kaufe ich dir richtige Schuhe!« Dabei lacht sie übermütig, als hätte sie bereits im Lotto gewonnen und es mir nur noch nicht verraten.

»Ich will aber braune Lederschuhe, solche mit Löchern an der Oberkante, die schick aussehen und die man auch zum Sport anziehen kann…«, schreie ich zurück und muss nun ebenfalls lachen. Ich weiß plötzlich, dass ich morgen barfuß zur Schule gehen werde, und was auch immer Mr Makete oder einer der anderen Lehrer sagt, ich werde mich nicht schämen. Irgendwann werde ich schicke braune Lederschuhe mit Löchern haben.

Plötzlich habe ich eine Idee, einfach so, aus heiterem Himmel. Keine Ahnung, was mich draufgebracht hat, aber die Idee ist großartig. Ich drücke Nomtha meine Plastiktüte mit Schulsachen in die Hand und springe übermütig vor ihr in die Luft: »Nimm die für mich mit nach Hause… Ich muss unbedingt sofort zu Sipho – ich hab gerade eine Idee für unseren Fußballverein, die ich ihm auf der Stelle erzählen muss.«

Obwohl wir inzwischen längst nicht mehr nur zu zweit spielen, sondern eine Gruppe von gut zehn Jungen sind, die in der Nähe von Siphos Hütte trainieren, haben wir immer noch keinen richtigen Namen für unseren Verein. Eben ist er mir eingefallen.

»Sipho!«, rufe ich aufgeregt schon unten am Fuß des Hügels, auf dessen Kuppe seine Hütte steht. Darin wohnt er mit seiner kranken Mutter und den drei kleineren Geschwistern. Da es noch immer regnet, bin ich nicht verwundert, dass draußen niemand zu sehen ist. Noch einmal rufe ich seinen Namen, während ich den Hügel hinaufgehe. Eigentlich treffen wir uns immer erst später am Nachmittag mit den anderen, aber ich habe nicht die Geduld, so lange zu warten.

Oben angekommen klopfe ich unser geheimes Zeichen an die Tür. Ich höre, dass drinnen seine kleine Schwester heult, die höchstens zwei ist. Sipho hat uns allen, selbst mir als seinem besten Freund, streng verboten, jemals die Hütte zu betreten, weil seine Mutter das auf keinen Fall will. Ich klopfe noch einmal und schaue auch hinüber zum Schuppen, wo wir uns sonst bei schlechtem Wetter unterstellen, wenn wir unsere Besprechungen haben. Aber auch dort ist niemand zu sehen.

Das Heulen in der Hütte wird lauter. Sicher hat mich die kleine Nosipho inzwischen längst gehört. »Ich bin's, Themba …«, rufe ich. Von den beiden anderen Geschwistern, dem vierjährigen Jama und dem siebenjährigen Jabu, ist nichts zu hören. Und was ist, wenn die Mutter bewusstlos und außer der Kleinen niemand bei ihr ist? Ich zögere noch einen Moment, dann drücke ich entschlossen die Klinke herunter.

Aber die Holztür ist abgesperrt und bewegt sich keinen Millimeter. Noch einmal rüttle ich an der Klinke und bin kurz davor, die Tür mit meinem Körpergewicht aufzustemmen, als ich vom Fuß des Hügels Siphos zornige Stimme höre: »*Bhekela elucangweni,* Themba – geh sofort von der Tür weg!« Er hat seine beiden jüngeren Brüder im Schlepptau, die er erst noch hinter sich herzieht, dann aber abschüttelt. So schnell er kann, hastet er zu mir hinauf. »Was fällt dir ein, Themba?«, fährt er mich schwer atmend an. »Du weißt doch, dass bei uns niemand ins Haus darf!«

»Mann, Sipho«, entgegne ich unsicher angesichts dieses

Aufstands, der mir völlig übertrieben vorkommt. »Nosipho war da drin am Heulen, und da niemand reagiert hat, dachte ich, dass vielleicht irgendwas passiert ist…«

»Hau ab, Mann!«, ruft er wütend. Einen Moment habe ich den Eindruck, er fängt gleich an zu heulen, aber schließlich bekommt er sich doch wieder unter Kontrolle. Inzwischen sind auch Jama und Jabu den Hügel heraufgestolpert. Der Regen strömt über ihre Gesichter und mischt sich mit dem Rotz, der den beiden aus der Nase läuft.

»*Molo* Themba«, grüßen sie mich schüchtern.

»*Molweni*…«, grüße ich leise zurück.

Dann hat Sipho auch schon mit einem rostigen Schlüssel die Tür geöffnet und schiebt die beiden so durch einen Spalt ins Haus, dass ich nicht mal den kleinsten Blick hineinwerfen kann. Die kleine Nosipho hört augenblicklich auf zu weinen.

»*Uyabona, konke kulungile* – siehst du, alles in Ordnung«, meint er endlich wieder etwas ruhiger und schüttelt seine Rastafarilocken wie ein nasser Hund. »Kannst du beim Schuppen auf mich warten?«

Ich nicke und sehe, wie er hineingeht und erneut sorgfältig die Tür hinter sich verschließt. Von niemand anderem würde ich mir so etwas gefallen lassen. Bei Sipho ist das anders. Irgendwie verstehe ich ihn. Ich weiß nicht, wie ich das aushalten würde, monatelang allein für eine kranke Mutter zu sorgen, die sich weigert, auch nur einen anderen Menschen zu sehen.

Ich habe Glück und brauche nicht lange allein zu warten. Schon nach ein paar Minuten sehe ich in der Ferne den vertrauten alten Lieferwagen an der Kreuzung zum Feldweg halten und Andy herausspringen. Von hier aus kann ich nicht erkennen, ob seine Mutter oder sein Vater den Wagen fährt, aber ich vermute, dass Andy ebenfalls zu früh zum Training kommt, weil er diese Mitfahrgelegenheit genutzt hat, statt beinah eine Stunde von ihrem Farmhaus bis zu Siphos Hütte zu laufen. Bei uns in der Gegend ist Andy inzwischen überall bekannt. Er wird jetzt auch »Andy« gerufen und nicht mehr »*umlungu-boy* – weißer Junge«, wie am Anfang. Ich winke ihm vom Schuppen aus zu.

Als er bei mir oben angekommen ist, klopfen wir uns kurz auf die Schulter, wie das unter uns Jungen üblich ist.

»Ist Sipho nicht da?«, fragt er dann.

»Noch drin bei seiner Mutter«, antworte ich, sage aber nichts von dem Stress, den wir gerade hatten.

Andy nickt. Der Regen hat endlich aufgehört, sodass ich Siphos Lederball aus dem Versteck im Schuppen hole, um schon ein bisschen zu kicken, bevor die anderen kommen. Aber Andy stoppt den Ball und hält ihn unter seinem rechten Fuß fest.

»Ich hab uns was mitgebracht«, sagt er, »von meinem Vater.« Er zieht sein T-Shirt aus der Hose und fummelt etwas umständlich eine in Plastik eingewickelte Zeitung hervor. »Hier.« Er reicht sie mir mit leuchtenden Augen.

»Hey, die neueste Ausgabe von Laduma«, stimme ich in seine Begeisterung mit ein. Eine der größten Fußballzeitungen Südafrikas. Das letzte Mal habe ich ein Exemplar von Mutter und Nomtha zu Weihnachten bekommen. In jener Ausgabe war ein Mannschaftsfoto der Orlando Pirates, dem Erstliga-Klub aus Soweto. Das Bild hängt seitdem an der Wand über meinem Bett. In dieser Ausgabe fehlt der Mittelteil mit dem Mannschaftsfoto.

»Mist, das hat mein Vater wohl schon rausgerissen«, ärgert sich Andy.

Wir hocken uns im Schuppen an einer Stelle, wo es nicht durchgeregnet hat, auf die Erde und blättern Seite für Seite langsam durch. Die Namen aller Klubs der Ersten Liga können wir, ohne nachzudenken, herunterbeten. Und in jedem Heft gibt es Geschichten von jungen Fußballern, die ganz arm angefangen haben und heute an der Spitze stehen. Bevor wir auf der letzten Seite angekommen sind, stoßen Ayanda und sein jüngerer Bruder dazu, die noch nicht so lange bei uns spielen, und schauen uns über die Schulter. Sie haben Zuckerrohr dabei, das sie in mehrere Stücke brechen und unter uns aufteilen.

»Ich habe eine Idee«, sage ich schließlich, obwohl ich eigentlich noch hatte warten wollen, bis Sipho kommt. »Ich finde, wir brauchen endlich auch einen Namen für unseren Verein. Was haltet ihr von …« Bewusst mache ich eine kleine Pause, um die Spannung zu steigern. »… Lion Strikers?« Erst hatte ich an Lion Pirates gedacht, aber das klang zu sehr, als hätten wir das den Jungs aus Orlando abgeguckt. »Löwenstürmer« passt besser, finde ich, für einen Verein, der aus der Wildnis kommt wie wir.

»Aber bei uns gibt's doch gar keine Löwen …«, gibt Ayanda zu bedenken und kaut skeptisch auf seinem Zuckerrohr.

Keiner von uns hat mitbekommen, dass Sipho während des Gesprächs dazugestoßen ist.

»Lion Strikers find ich gut, wirklich«, meint er ruhig. Nichts ist ihm mehr anzumerken von seinem Zorn eine halbe Stunde zuvor. Ich ahne, dass er mit seiner klaren Zustimmung eher mir eine Freude machen will, als dass es ihm wirklich um den Namen geht. Egal, ab nun sind wir die Löwen, die über die Hügel von Qunu stürmen …

Und schon kommt die nächste Idee, diesmal von Andy: »Ich habe meinem Vater erzählt, dass wir gern ein richtiges Tor hätten, und ihn gefragt, ob er uns mit Holz und Schrauben versorgen kann.«

»Und?« Wir schauen ihn neugierig an. Unsere Abneigung

gegen den Torwartposten haben Sipho und ich überwunden, seit wir nicht mehr allein spielen.

»Er kommt mich später abholen und bringt dann alles mit, was er in seiner Garage finden kann.«

Begeistert klopfen wir Andy auf die Schulter, als hätte er gerade einen Elfmeter in ein entscheidendes Tor verwandelt. Und dann legen wir los. Mindestens zwei Stunden gibt jeder sein Bestes. Der Jüngste ist Ayandas kleiner Bruder, gerade mal zehn Jahre alt. Er kann zwar noch nicht so schnell und ausdauernd laufen, aber beeindruckend zielgenau schießen. Der Älteste ist Sandla mit fünfzehn – er ist eigentlich gar nicht so ein guter Fußballer, aber dafür hat er in iGoli schon mal die Orlando Pirates in echt spielen sehen und kann darüber so aufregend berichten, als hätte er an diesem einen Nachmittag mit der halben Mannschaft persönlich Freundschaft geschlossen. »Die Superstars haben alle mal ganz klein angefangen!«, versichert er immer wieder, und wir glauben ihm das natürlich nur zu gern. Dabei ist Sandla kein Aufschneider. Als Andy ihn fragt, wie dicht er mit seinem Vater am Spielfeldrand gesessen habe, antwortet er ohne Umschweife: »Stehplatz, weit weg ganz oben.«

Andys Vater hält Wort und bringt eine Ladung entrindeter Äste und eine Tüte mit rostfreien Schrauben. »Richtige Holzlatten hatte ich leider nicht mehr«, sagt er bedauernd.

Egal. Sipho und ich graben zwei knapp einen Meter tiefe Löcher für die beiden Pfosten, während die andern zusammen mit Andys Vater die Äste zu einem halbwegs passablen Tor montieren. Am Ende des Tages steht es, wenn auch nicht sonderlich gerade und nicht annähernd den internationalen Maßen entsprechend. Aber es ist das erste Tor mit einer richtigen Querlatte, das endlich unsere wackeligen Steinmarkierungen ersetzen kann.

Als wir uns trennen, beginnt es bereits dunkel zu werden.

Ich laufe froh und ausgelassen wie lange nicht mehr nach Hause. Meine bloßen Füße federn geradezu über das feste Gras.

Die Fotos der erfolgreichen jungen Fußballer aus dem Laduma-Heft, unser erstes richtiges Tor, der von allen akzeptierte Name der Lion Strikers und unser immer besser werdendes Spiel – ein paar Wochen lang schwebe ich wie auf Wolken. Schon nach kurzer Zeit ist unsere Mannschaft auf über zwanzig Jungen angewachsen, die sich oft dreimal pro Woche, einige auch öfter, am Tor der Lion Strikers zum Training treffen. Obwohl wir nie offiziell gewählt wurden, sind Ayanda, Andy und ich so etwas wie die Präsidenten geworden, die von den anderen, vor allem den Jüngeren, regelmäßig um Rat gefragt werden.

An den Nachmittagen spielen wir nun nicht mehr einfach drauflos wie früher, sondern bilden in der ersten Stunde drei Gruppen, in denen ganz gezielt bestimmte Fertigkeiten wie Kopfball, Dribbeln und Pässe geübt werden. Erst in der zweiten Stunde spielen wir in Mannschaften gegeneinander. Eigentlich wollten wir, dass auch Sipho einer unserer Präsidenten wird, aber er lehnte ab, ohne zu erklären, warum.

»Vielleicht später mal«, murmelte er. Aber da wir uns immer bei ihm in der Nähe treffen und er sehr beliebt ist, mache ich mir weiter keine Gedanken um seine Entscheidung.

Eine Weile gelingt es mir sogar, vor den Sorgen, die bei uns daheim immer drängender werden, die Augen zu verschließen. Ich bin sicher, dass Nomtha die ganze Zeit weiß, was los ist, aber mir schlicht meine unbeschwerten Nachmittage nicht verderben will. Seit sie zwölf ist, geht sie meist allein Einkäufe machen. Vielleicht kriege ich auch deshalb so lange nicht richtig mit, wie schlimm unsere Lage tatsächlich ist.

Dass es zwischen Mutter und Onkel Luthando wegen der Geldsorgen immer mal wieder zu Spannungen kommt, höre ich nicht nur von Nomtha, sondern erlebe es auch selbst ab und zu mit, halte mich aber bewusst heraus.

Eines Tages, an einem heißen Sommerabend, kommt Mutter noch später als sonst von der Arbeit. Onkel Luthando ist, so vermuten wir, noch auf einen Drink bei Tatomkhulu. Nur Nomtha und ich sind daheim, als Mutter langsam und gebeugt den Pfad zu uns hochkommt. Anfangs vermute ich, dass es einfach die Hitze ist, die sie so erschöpft hat.

»Mama!«, rufe ich und winke ihr zu. Sie hebt den Blick, erwidert jedoch meinen Gruß nicht.

Als sie bei uns angekommen ist, reicht Nomtha ihr schweigend ein Glas Wasser, das sie in einem Zug austrinkt. Dann geht sie ins Haus, lässt sich auf einen Stuhl sinken und bedeckt ihr Gesicht mit beiden Händen. Ganz stumm ist sie, und nur ein leichtes Beben ihrer Schultern verrät, dass sie weint.

Nomtha hat einen Stuhl herangeschoben, sich zu ihr gesetzt und streicht ihr nun sanft über den Rücken, ohne zu reden. Schließlich kramt Mutter umständlich ein Taschentuch hervor und schnäuzt sich laut die Nase. Sie holt tief Atem und sagt dann: »Ich habe heute meine Arbeit auf der Farm verloren.«

»Aber wie ist das denn möglich?«, frage ich erschrocken.

»Ganz einfach. Der Boss hat behauptet, ich sei mehrmals zu spät zur Arbeit gekommen. Eine Vorarbeiterin, der er wahrscheinlich Geld dafür gegeben hat, hat das bestätigt. Damit gilt für mich kein Arbeitsrecht, er hat mich wegen angeblicher Verfehlungen fristlos entlassen.« Nach einer Pause fügt sie bitter hinzu: »Und das nicht heute Morgen, sondern am Abend nach einem langen Tag auf dem Feld.«

Ich spüre, dass Nomtha und Mutter noch etwas wissen, wovon ich keine Ahnung habe.

»Wir müssen es Themba sagen, Mama.« Nomtha hat ihren Arm um Mutters Schultern gelegt.

»Es ist so«, beginnt Mutter, »... ich habe Schulden bei Mama Zanele gemacht, weil es im Winter einfach nicht reichte, nicht mal für das Nötigste. Seit ein paar Wochen sparen Nomtha und ich bei jedem Einkauf einen kleinen Betrag und legen das Geld zurück. Wir hatten uns vorgenommen, bis zum Jahresende alles zurückzuzahlen. Aber ohne Arbeit können wir das vergessen und jetzt ...«

Ich unterbreche sie: »Ich gehe ab morgen nicht mehr zur Schule, sondern zu der Kreuzung, an der Onkel Luthando früher auf Arbeit gewartet hat. Er ist schon älter, das sieht jeder. Ich bin noch jung und bekomme bestimmt eher mal einen Job.« Ich bin fest entschlossen.

Aber Mutter schüttelt ebenso entschlossen den Kopf. »Niemals! Du und Nomtha, ihr macht erst die Schule fertig. Das ist das Einzige, was ich euch mitgeben kann. Darüber gibt es keine Diskussion!«

»Aber Mama!«, widerspreche ich trotzdem. »Du kannst uns nicht länger allein über Wasser halten. Und außerdem bin ich schon beinahe vierzehn.«

Wie oft werde ich später noch diese Sätze bereuen ...

Nur wenige Tage danach ruft Mutter Nomtha und mich ins Haus. »Ich muss euch etwas Wichtiges mitteilen«, erklärt sie. Am Tisch sitzt auch Onkel Luthando, der bereits eingeweiht scheint, aber mit keiner Miene verrät, was nun kommen wird.

»Es gibt einen Ausweg«, sagt sie mit beherrschter Stimme, als auch wir uns hingesetzt haben. »Mama Zanele hat eine Freundin in iKapa, deren Stelle als Putzfrau in einem Hotel ich wahrscheinlich für ein halbes Jahr übernehmen kann. Da verdiene ich in einer Woche drei- oder viermal so viel wie hier in einem Monat.«

Nomtha und ich sind sprachlos. Will Mutter tatsächlich ins ferne iKapa oder Kapstadt, wie die Weißen die südlichste Großstadt von ganz Afrika nennen? Doch nicht etwa ohne uns – völlig allein?

Mutter scheint meine Gedanken lesen zu können: »Ich muss allein gehen, ihr bleibt hier und geht weiter zur Schule. Aber es ist ja nur für ein paar Monate. Ein halbes Jahr ist schnell vorbei.« Als sie noch immer keine Begeisterung in unseren Gesichtern sieht, fügt sie hinzu: »Und stellt euch mal vor – in ein paar Monaten könnte ich so viel verdienen und sogar sparen, dass danach nicht nur die Schulden bezahlt sind, sondern dass ihr wahrscheinlich sogar auf die High School gehen könnt – beide!«

Als wäre die Vorstellung, Mutter allein nach iKapa ziehen zu lassen, nicht schon schlimm genug, meldet sich nun auch noch Onkel Luthando zu Wort: »Ich werde hier auf euch aufpassen, solange eure Mutter weg ist.«

Tief in mir steigt eine grenzenlose Wut auf. Es ist ein Gefühl, das mich an jene Nacht vor meinem dreizehnten Geburtstag erinnert, nur dass ich mich diesmal nicht schlafend stelle, sondern alles hellwach und mit offenen Augen erlebe.

Ich tue so, als wäre Onkel Luthando Luft für mich, und stelle Mutter nur eine einzige Frage: »Hast du ihn darum gebeten?«

»Ja«, sagt sie. Offenbar merkt sie überhaupt nicht, wie sehr sie mich damit verletzt. Nomtha und ich sind alt genug, um auf uns selbst aufzupassen. Oder weiß sie vielleicht nur nicht, wie sie Onkel Luthando jetzt wieder loswerden kann?

Ich springe vom Tisch auf und laufe ohne ein weiteres Wort aus dem Haus.

Hamba kakuhle, Mama

Abschied von Mutter

Tatsächlich dauert es nur noch wenige Tage, bis Mutter alles vorbereitet hat, um nach iKapa aufzubrechen. Mama Zanele hat ihr die Handynummer ihrer Freundin gegeben, die sie anrufen soll, sobald sie am zentralen Bahnhof in der großen Stadt angekommen ist. Beinah sechzehn Stunden soll die Busfahrt dorthin dauern.

»Sie hat gesagt, dass du wahrscheinlich so lange in ihrem *Shack* wohnen kannst, bis sie alle Familienangelegenheiten geregelt hat und wieder zurückkommt«, erklärt ihr Mama Zanele, die schon ein paarmal in iKapa gewesen ist. »Wenn ich es richtig verstanden habe, wohnt sie irgendwo in einem *Township* im Süden der Stadt.«

Mutter lässt sich nicht anmerken, ob sie Angst hat vor der großen Stadt oder nicht. Eigentlich hatte Onkel Luthando ihr zugesagt, nun wirklich entweder seinen Koffer oder den Anzug zu verkaufen, um damit die Fahrkarte für den Bus zu bezahlen. Aber er kommt zweimal mit all seinen Sachen aus Mqanduli zurück und meint: »Der Alte am Markt wollte mir einfach nicht genug dafür geben.« Schließlich fragt ihn Mutter nicht mehr, und es ist erneut Großvater, der ihr hilft und sie drei Tage vor der geplanten Abreise morgens mit einem leicht zerknitterten braunen Umschlag überrascht. »Das reicht leider nur für die Hinfahrt, Mandi«, fügt er beinah entschuldigend hinzu.

»Aber *Tata*!«, ruft Mutter und umarmt ihn dankbar. »Für die Rückfahrkarte werde ich doch bald selbst mehr als genug Geld haben.«

»*Ewe, mntwana wam* – ja, mein Kind«, antwortet Tatomkhulu. Es ist das erste Mal, dass ich höre, wie er unsere Mutter »mein Kind« nennt. Es fällt ihm sichtlich schwer, seine einzige Tochter in die ferne Großstadt ziehen zu lassen. Sein von Falten zerfurchtes Gesicht lässt zwar keine Gefühle erkennen, aber ich sehe, wie seine alten Augen wässrig werden. Er wischt sich verstohlen mit dem Handrücken übers Gesicht.

In der Nacht vor Mutters Abreise wache ich in unregelmäßigen Abständen immer wieder auf. Auch Nomtha kann nicht schlafen und wälzt sich neben mir unruhig hin und her. Es ist eine warme, beinah windstille Nacht. Mutter und Onkel Luthando scheinen zu schlafen. Von ihrem Bett her höre ich ruhige Atemzüge, sonst keinen Laut.

»Themba?«, flüstert Nomtha und dreht sich zu mir um. Es scheint eine wolkige Nacht zu sein, denn kaum dringt Mondlicht durch die Ritzen bei der Tür und am Fenster.

»*Andilalanga* – ich schlafe nicht«, flüstere ich zurück.

Sie tastet nach meiner Hand und zieht sie zu sich heran: »Halt mich fest…« Sie legt meinen Arm um ihren Hals, meine Hand kommt auf ihre kräftigen Locken zu liegen, meine Finger spielen mit einzelnen Haaren. So vertraut ist mir meine Schwester, ich habe sie neben mir aufwachsen sehen. Beinah jeden Tag unseres bisherigen Lebens haben wir miteinander geteilt, noch nie sind wir getrennt voneinander eingeschlafen.

Und jetzt, als sie so dicht neben mir liegt, dass ich ihren warmen Atem auf meinem Gesicht spüren kann, fühle ich zum ersten Mal etwas Neues und noch Unbekanntes, etwas Aufregendes, etwas, was ich bei ihr noch nie so wahrgenommen habe. Ich will sie fest an mich drücken und gleichzeitig unbedingt auf Abstand halten.

Bevor ich eine Bewegung machen kann, hat sie sich selbst an mich geschmiegt, legt ihren Kopf an meinen Hals und drückt mich ganz fest an sich.

»Ich hab Angst…«, flüstert sie mir ins Ohr. »Ich hab Angst, dass Mutter etwas zustößt, wenn sie ganz allein ist in der großen Stadt.«

Auch ich will flüstern, aber meine Stimme ist so heiser, dass ich mich erst räuspern muss und dann mit rauer Stimme und viel zu laut entgegne: »Wenn Mutter etwas passiert, dann fahren wir auch nach iKapa und holen sie zurück.«

»*Thula* – leise…!« Sie legt einen Finger auf meinen Mund. In diesem Moment fühle ich, dass Nomthas Brüste zu wachsen begonnen haben. Durch ihr Nachthemd hindurch drücken sie warm, fest und leicht hervorstehend gegen meine Haut. Wegen der Hitze habe ich nur eine Unterhose an, und ich spüre, wie alles in mir zu vibrieren beginnt. Nur sanft, ganz vorsichtig, erwidere ich ihre Umarmung. *Mhle njengelanga liphuma…* sie ist so aufregend, so wunderschön… wie die aufgehende Sonne…

»Themba«, sagt sie plötzlich und drückt mich sachte von sich weg. »Gibst du mir dein Wort, dass wir zu Mutter fahren oder sie zurückholen, wenn sie uns braucht?«

»*Ewe, ndiyathembisa* – ich verspreche es!«

Im Dunkeln kann Nomtha mein Nicken vielleicht nicht deutlich erkennen, aber sie muss es fühlen, denn ihre Hand streicht dankbar über meinen Kopf und Hals. Nur wenig später dreht sie sich auf die Seite und fällt zum ersten Mal in dieser Nacht in tiefen, ruhigen Schlaf.

Ich bleibe noch lange wach, mein Herz will nicht aufhören, wild zu schlagen, und schließlich weiß ich mir keinen anderen Rat, als mich vorsichtig aus Nomthas Umarmung zu lösen, leise aufzustehen und so zu tun, als müsste ich zum Klo hinter unserer Hütte gehen. Dort bewege ich mein steifes Glied so lange, bis jener verrückt gute Augenblick kommt, bei dem mein Samen herausschießt und ich wieder ruhiger werden kann. Ich bin Sipho dankbar, dass er mir vor ein paar Monaten gezeigt hat, wie das geht. Sonst spreche ich mit niemandem darüber.

Als ich wieder auf meine Matte gekrochen bin, schlafe ich endlich ein, nicht tief, sondern unruhig und immer wieder von beängstigenden Träumen zerrissen, die ich jedoch zum Glück sofort wieder vergesse.

Am nächsten Morgen stehen wir alle früh auf und täuschen mit größtmöglicher Betriebsamkeit über unsere angespannten Gefühle hinweg. Mutter bügelt noch einmal ihre beiden Kleider, obwohl sie das schon am Vorabend getan hat. Tatomkhulu hat frische Hühnereier gebracht, die er nun kocht, damit Mutter sie als Reiseproviant mitnehmen kann. Onkel Luthando repariert den Griff seines Lederkoffers, den er ihr erst an diesem Morgen mit viel zu vielen Worten überlässt: »Bitte achte gut auf ihn, Mandi. Er ist ein Familienerbstück. Pass auf, dass du ihn nicht verlierst.«

An Mutters Stelle hätte ich ihn nicht angenommen, sondern wäre lieber mit den zwei Leinensäcken gereist, die sie bereits am Vorabend gepackt hat.

Schließlich ist es Zeit. Nichts kann die bevorstehende Abreise noch aufhalten. Mehrere Nachbarinnen sind gekommen, um Mutter zu verabschieden, die kleinen Kinder winken, und Mama Zanele begleitet uns bis zur Haltestelle der Minibusse an der Kreuzung zur Autostraße. Einer von ihnen wird Mutter nach Umtata bringen, wo sie am frühen Nachmittag in den Überlandbus nach iKapa umsteigen muss. Als wir ankommen, hupt der Fahrer im ersten Bus, denn sein Wagen ist beinah voll, und er will aufbrechen. Die anderen Fahrgäste rücken zusammen, als Mutter zuerst den großen Lederkoffer hineinschiebt und sich dann noch einmal zu uns umdreht. Nomtha umarmt sie, bis der Fahrer erneut zu hupen beginnt. Ich bleibe stocksteif auf der Stelle stehen, aber unsere Blicke treffen sich lange. »Themba…«, sagt sie voller Zärtlichkeit.

Ich will auch etwas sagen, aber ich kriege keinen Ton heraus. Meine Kehle ist wie zugeschnürt. Schließlich klettert sie in den Minibus, und ein anderer Fahrgast knallt die Schiebetür zu, während der Chauffeur bereits Gas gibt. Mama Zanele, Nomtha und Großvater winken, Onkel Luthando und ich stehen nur unbeholfen da. Ich sehe als Letztes, wie sich Mutter noch einmal zu uns umdreht, bevor sie in einer dichten Staubwolke verschwindet, während das Auto in viel zu hohem Tempo die Landstraße hinunterholpert.

Danach macht sich Großvater allein auf den Weg zu seiner Hütte. Mama Zanele will in einem nahen Waldstück frische Kräuter sammeln und Onkel Luthando hat unter den anderen Fahrern einen Bekannten von früher entdeckt und mit ihm ein Gespräch begonnen. Nomtha sagt, dass sie eine Freundin aus ihrer Klasse besuchen will. Es ist, als wolle niemand der Erste sein, der nach Hause kommt, jetzt, wo Mutter nicht mehr da ist.

Ich stehe noch einen Moment unschlüssig herum, als der vertraute Lieferwagen vom alten Farmhaus heranrumpelt. Kurz darauf erkenne ich Andys Mutter hinter dem Steuer. Sie rollt direkt auf mich zu und hält neben mir.

Durch die offene Scheibe fragt sie: »Ist deine Mutter schon weg?« Als ich nicke, sagt sie betrübt: »Ach, wir hatten ihr noch etwas mitgeben wollen für die Reise.« Sie zeigt auf eine große Plastiktüte mit frischem Obst und belegten Broten. »Andy sagte, sie nimmt den Bus am Nachmittag.«

»Er meinte den Bus von Umtata aus, deshalb musste sie hier schon eher aufbrechen«, erkläre ich.

»Na, da kann man nichts machen«, meint sie resignierend, lächelt dann aber doch und fragt: »Habt ihr nachher nicht noch euer Fußballtraining? Richtige Sportler müssen doch auch gut essen... vielleicht magst du die Tüte für dich und deine Freunde mitnehmen?«

Jetzt lächle ich auch. »Das ist sehr nett... ja, stimmt, ein paar von uns haben immer Hunger – mit und ohne Training.«

Mrs Steyn ist ganz anders als der frühere Boss von Mutter, der immer auftritt, als gehöre ihm die Welt. Andys Mutter ist weiß wie er, aber sie ist freundlich. Und niemand von uns hat vergessen, wie Andys Vater uns geholfen hat, ein Fußballtor zu bauen.

Andy ist der erste Mensch, bei dem wir vergessen, welche Hautfarbe er hat. Nicht nur, wenn alles gut läuft, auch wenn wir uns streiten. Als er neulich Ayanda in der Hitze eines Kampfes um den Ball ein Bein gestellt hat, was wirklich unfair war, brüllte ihn Ayanda an: »Du Blödmann, pass endlich auf, wohin du mit deinen Elefantenfüßen trampelst!« Andy schrie zurück: »Dann nimm gefälligst deine Giraffenbeine aus dem Weg, du Idiot!« Als wir dann aber alle meinten: »Das war ein klares Foul, Andy!«, machte er einen Rückzieher. Nach einer Weile reichte er Ayanda sogar die Hand und sagte auf Xhosa: »*Uxolo, Ayanda* – tut mir Leid.« Ayanda nahm die Hand an, und wir haben weitergespielt, als wäre nichts gewesen.

Bevor Mrs Steyn mir die Tüte aus dem Auto reicht, sagt sie noch: »Andy kommt heute vielleicht später, weil er meinem Mann noch helfen muss, eine neue Lieferung auszupacken und in die Regale zu sortieren. Aber ich werde ihm sagen, dass ich dich getroffen habe, ja?«

Die Tüte ist viel schwerer, als ich gedacht hatte. Ich winke Mrs Steyn noch einmal zu, bevor sie kehrtmacht und dann mit dem Wagen zurück zur Autostraße rollt.

In wenigen Minuten bin ich zu Hause. Wir haben die Tür nicht abgeschlossen, und als ich sie aufstoße, überfällt mich eine bleierne Traurigkeit. Ohne Mutter wirkt das Haus schrecklich leer. Zwar war sie auch früher tagsüber meist nicht daheim, aber es ist trotzdem verdammt anders, jetzt, wo ich weiß, dass sie vorläufig nicht mehr nach Hause kommen wird – heute Abend nicht, morgen Abend nicht, die ganze Woche nicht und auch nicht im nächsten Monat.

Ich setze die Tüte ab und verstaue sie hinter einem der großen Töpfe, wo sie vor der Sonne sicher ist. Da ich in der Nacht kaum geschlafen habe, lege ich mich für einen Moment der Länge nach auf mein Bett und schließe die Augen. Ich höre noch die Fliegen in der Mittagshitze brummen und falle endlich in einen dumpfen, schweren Schlaf.

Vielleicht habe ich eine, höchstens zwei Stunden geschlafen, als ich mit ausgetrockneter Kehle aufwache. Irgendein Geräusch hat mich geweckt, aber ich brauche ein paar Sekunden, um richtig da zu sein. Jemand ist gegen die Töpfe gestoßen. Mutters Idee, die wichtigen Sachen dort zu verstecken, hat sich bewährt. Ich fahre hoch und reiße die Augen auf. Der Jemand, der sich an der Tüte von Andys Mutter zu schaffen gemacht hat, ist ein großer, schwerer Mann – Onkel Luthando. Bevor ich etwas sagen kann, fährt er mich unfreundlich an: »Woher hast du denn auf einmal das Geld für so viele Einkäufe?«

Jedem anderen hätte ich einfach die Wahrheit gesagt. Hier scheint es mir um eine wichtige Klärung zu gehen, die für die kommende Zeit entscheidend werden könnte. Ich bin nicht bereit, ihn als Boss im Haus zu akzeptieren, schon gar nicht als Ersatzvater. Im besten Fall werden wir einander in Ruhe lassen.

»Das geht dich nichts an, Onkel Luthando«, sage ich und schaue ihm direkt in die Augen.

Er nimmt die Provokation an und setzt umgehend einen drauf: »Solange eure Mutter weg ist, fälle ich hier die Entscheidungen, Themba. Du solltest dir gut überlegen, in welchem Ton du mit mir sprichst.«

Vielleicht hätten wir es fürs Erste bei diesem Schlagabtausch belassen können, aber da merke ich, dass er in seiner rechten Hand eines der Brote von Andys Mutter hält und sogar schon davon abgebissen hat.

»Wer hat dir erlaubt, dich von dem Essen zu bedienen?«, fahre ich ihn an. In diesem Moment weiß ich, dass es nun, kaum ist Mutter weg, bereits zum Kampf kommen wird. Ich habe mir das nicht so gewünscht, aber bin auch nicht bereit, einfach klein beizugeben.

»Bist du verrückt geworden, Themba?«, schreit er nun los. »In diesem Haus haben wir immer geteilt … soll das nun plötzlich nicht mehr so sein?«

»Geteilt nennst du das?«, rufe ich zurück und merke, wie sich meine Stimme überschlägt. »Du hast hier die ganze Zeit bei uns mitgegessen und unsere Mutter hat dafür das Geld rangeschafft!«

Ich weiß, dass ich damit nicht nur einem Älteren widerspreche, sondern noch eine andere wichtige Xhosa-Regel verletze – einen Gast musst du immer gut behandeln und alles, was du hast, mit ihm oder ihr teilen. Aber Onkel Luthando ist schon lange kein Gast mehr. Er hat sich uns aufgedrängt, so habe ich es vom ersten Tag an empfunden. Er hat Mutters Einsamkeit und Sehnsucht nach ihrem vermissten Mann ausgenutzt und keine wirkliche Mitverantwortung für unser gemeinsames Leben hier übernommen. All das sehe ich in diesem Moment in voller Klarheit und suche nur noch nach Worten, um es ihm zu sagen, genau so, hier und jetzt.

Doch bevor ich den Mund aufmachen kann, greift Onkel Luthando erneut in die Tüte und nimmt sich eine Orange und ein weiteres Brot heraus.

»Du denkst schon immer, dass du was Besseres bist«, brummt er schmatzend und droht mir mit der Faust. »Ein Hosenscheißer bist du, ein verzogenes Mamakind mit großer Klappe. Aber damit kommst du bei mir nicht durch. Ich werd dir schon zeigen…«

Ich will nicht hören, was er mir zeigen will, und greife nach der Orange und dem noch in Papier eingewickelten Brot. In letzter Sekunde zieht er die Orange zurück und knallt mir die Hand mit dem Brot mitten ins Gesicht. Ich merke, wie mir Blut aus der Nase läuft, und da ist es mit meiner Beherrschung endgültig vorbei. Mit all der Wut, die sich in mir so lange aufgestaut hat, trete ich ihm gegen das Schienbein und versuche nun meinerseits, einen Faustschlag in seinem Gesicht zu landen. Der Tritt sitzt. Aber nach einem kurzen, beinah verwunderten Aufschrei fängt er meine Faust professionell ab und landet dafür einen vollen Treffer in meiner Magengrube. Ich kippe vornüber, da setzt er mit einem Kinnhaken nach, der mich zu Boden gehen lässt. Ich habe geahnt, dass Onkel Luthando deutlich stärker ist als ich. Dass er ein ziemlich erfahrener Schläger sein muss, merke ich erst jetzt.

»Willst du noch mehr, Großmaul?«, fragt er drohend und von oben herab, als ich vor ihm auf dem Boden liege.

Ich gebe keine Antwort, aber schaue ihm immerhin direkt in die Augen. Für einen weiteren Moment verharren wir beide in dieser Position, dann gibt er mir einen laschen Tritt in die Seite und meint: »Wenn du kein Theater machst, können wir es hier gut zusammen aushalten, bis eure Mutter zurück ist. Wenn doch, werde ich dir beibringen müssen, was bisher versäumt wurde.« Er macht schließlich einen Schritt zurück und lässt mich aufstehen. Dann hebt er in aller Gemütsruhe die Orange auf, die während des Schlagabtauschs zu Boden gefallen ist, zieht sein Taschenmesser heraus und beginnt, die Schale in gleichmäßigen Streifen abzulösen, ohne mich weiter zu beachten.

Mit einem feuchten Tuch wische ich mir das Blut vom Gesicht. Meine Nase ist angeschwollen und einer meiner Schneidezähne ist etwas lose, aber zum Glück nicht abgebrochen. Ich spüre kaum körperliche Schmerzen. Die Erniedrigung tut viel mehr weh. Nur weil er körperlich stärker ist, kann er sich so aufspielen. Solange Mutter hier war, hat er von dieser Überlegenheit niemals Gebrauch gemacht, auch nicht ihr gegenüber. Diese Zurückhaltung hat er nun sichtlich aufgegeben. Dabei bin ich in keiner Weise um mich selbst besorgt. Vielmehr finde ich einen anderen Gedanken so unerträglich, dass ich ihn noch kaum zulassen kann: Wie in aller Welt soll ich jemals Nomtha vor ihm beschützen?

Niemand weiß, wie er sich in den nächsten Wochen auch ihr gegenüber noch aufführen wird. Nomtha zu beschützen, ist das Wichtigste, was ich mir vorgenommen habe, bis Mutter zurückkommt. Nomtha, Nomtha ... Für den Augenblick bin ich froh, dass sie diese Szene mit Onkel Luthando nicht miterlebt hat. Um jeden Preis der Welt möchte ich, dass sie sich bei mir weiterhin sicher fühlen kann.

Wenig später verlässt Onkel Luthando das Haus. Wie ich durch einen Spalt im Fenster erkennen kann, schlägt er den Weg zu Tatomkhulus Hütte ein. Kaum ist er außer Sicht, nehme ich die Tüte mit dem restlichen Proviant, verstecke eine weitere Orange und ein Brot für Nomtha in einem der Töpfe und laufe, ohne anzuhalten, den ganzen Weg bis hin zu Siphos Haus.

Als ich dort völlig außer Atem ankomme, haben die anderen Jungen schon angefangen zu trainieren.

»*Molo*, Themba!«, rufen mehrere.

Sipho unterbricht sein Kopfballtraining und läuft auf mich zu. Er hat sofort gemerkt, dass etwas geschehen ist, und legt fragend eine Hand auf meine Schulter.

»*Ingxaki, bra* – Ärger gehabt?«

Ich nicke. »Ich erzähl's dir später, ja?«

Dann entdecken die anderen, dass in der durchsichtigen Plastiktüte Brote und Orangen sind, wenn auch längst nicht mehr genug für alle. Trotzdem wird brüderlich geteilt, sodass jeder ein Stück bekommt.

»Ist alles von Andys Mutter«, erkläre ich und lächle Andy zu, der viel zu bescheiden ist, es selbst zu sagen.

Andy lacht freundlich. »Deswegen hättest du aber nicht so zu rennen brauchen, dass du auf die Nase fällst.«

Ich lache mit und niemand fragt nach.

Wir ziehen das Training und das anschließende Spiel durch wie sonst auch. Außer Sipho merkt niemand, was mit mir los ist. Am Ende verabschieden wir uns mit unserem afrikanischen Handschlag, zuletzt Daumen an Daumen. Andy fragt, ob ich ihn ein Stück begleiten möchte, was nur ein kleiner Umweg ist, aber heute lehne ich ab: »Ich muss noch was mit Sipho besprechen, aber bitte richte deiner Mutter noch mal ein Dankeschön aus für die Brote und alles.«

Andy läuft allein los und ruft im Umdrehen noch: »No problem, *bra*!«

Was ich an Sipho am meisten schätze: Er kann zuhören wie kaum jemand sonst. Und was du auch mit ihm teilst, welche Niederlage oder welchen Fehler oder sonstigen Schwachsinn, den du angestellt hast – er wird es niemals gegen dich ausnutzen oder weitererzählen. Alles berichte ich ihm, auch von meiner Angst, eines Tages vielleicht Nomtha nicht wirklich beschützen zu können gegen Onkel Luthando.

Nicht einmal hat Sipho mich unterbrochen. Ich beende meinen Bericht mit Onkel Luthandos Drohung, mir zu zeigen, wer ab jetzt bei uns das Sagen hat. Sipho bleibt einen Augenblick still, bevor er mit einer traditionellen Redensart antwortet, die ich auch schon einmal von Tatomkhulu gehört habe: »*Ukhasel'eziko!*« Wörtlich übersetzt heißt das: »Jener, der zum Feuer kriecht.« Gemeint ist damit: Das ist einer, der gefährlich werden kann. Sipho hat mich genau verstanden.

Wie immer, wenn wir allein sein wollen, sitzen wir im Schuppen. Wir sprechen leise und hocken ganz dicht beieinander. Ich merke, dass Sipho angestrengt über etwas nachdenkt. Ich warte, keinesfalls will ich ihn drängen. In dem Moment hören wir das Weinen eines Kindes aus der Hütte, dann wird die Tür einen Spalt geöffnet, und der kleine Jama ruft kläglich von draußen herein: »*Yiz'apha,* Sipho – komm her, wir brauchen dich!«

Sofort springt Sipho auf und läuft zur Hütte hinüber. Wie immer schließt er die Tür sofort wieder hinter sich. Ohne die einzelnen Worte zu verstehen, höre ich ihn streng mit seinen Geschwistern reden. Augenblicklich erstirbt das Weinen. Kurz darauf öffnet sich die Tür und er kommt langsam zu mir zurück. Es ist, als hätte er gerade eine schwere Entscheidung getroffen und bräuchte jetzt nur noch etwas Zeit, um sich daran zu gewöhnen.

Schließlich bleibt er vor mir stehen und beginnt zu reden. »Themba, wenn ihr beide, Nomtha und du, zu Hause nicht mehr bleiben könnt, dann...«, er hält kurz inne, fährt dann aber entschlossen fort, »...dann könnt ihr jederzeit zu uns kommen und hier wohnen.«

»Aber deine Mutter...«, entgegne ich unsicher, als müsste ich ihn an die einzige unumstößliche Regel erinnern, seit wir Freunde geworden sind, »da musst du doch erst deine Mutter fragen... oder?«

»Ich habe sie gerade gefragt«, entgegnet er in einem eigenartigen Ton. »Ich habe gebetet und sie dort gefragt, wo sie jetzt ist. Mama, habe ich gefragt, wenn dein bester Freund in Not ist, was würdest du dann tun? Und dann war es ganz ruhig in meinem Herzen, und das bedeutet, dass sie mir zugestimmt hat.«

»Was sagst du da?«, frage ich nach, weil ich mir nicht sicher bin, ob ich ihn richtig verstanden habe. So wie Siphos Stimme jetzt klingt, kenne ich ihn gar nicht.

Aber er scheint alles gesagt zu haben, was ihm wichtig ist. Sipho ist kein Mann von vielen Worten. Er nimmt nur meine Hand, zieht mich hoch, bis ich vor ihm stehe, und geht dann schweigend voraus zur Hütte. Als ich zögere, ihm zu folgen, dreht er sich um und winkt. Er wartet, bis wir beide vor der Tür angekommen sind, und stößt sie dann weit auf.

»*Molweni*, Themba...«, sagen seine drei jüngeren Geschwister wie aus einem Mund und schauen gespannt zu mir her. Ich sehe auf einen Blick, dass sonst niemand im Raum ist. Das größte Bett ist ordentlich zurechtgemacht, eine saubere Decke liegt darauf, sogar frische Blumen stehen am Kopfende.

»Mama ist vor vier Monaten gestorben«, sagt Sipho so leise, dass ich es kaum hören kann. »Außer uns weiß es niemand.«

iWorldcup eMthatha

Worldcup in Umtata

»Sie ist an AIDS gestorben«, fährt Sipho nach einem Räuspern fort. »Sie hatte solche Angst, dass jemand schlecht über sie reden könnte. Nicht mal zur Klinik wollte sie mehr gehen, weil sie nicht daran glaubte, dass ihr noch irgendetwas helfen kann. Über ein Jahr hat sie uns so daran gewöhnt, niemanden in die Hütte zu lassen und alles allein zu machen. Manche Nachbarn sind später von selbst weggeblieben, seit das Gerücht umging, dass Mutter jene unheimliche Krankheit hat.«

»Aber nachdem sie gestorben ist…«, frage ich vorsichtig nach.

»…haben wir alles so gemacht wie vorher auch. Ab und zu habe ich Glück und kriege an der Kreuzung einen Job für einen Tag. Manchmal lässt mich unser alter Nachbar, Onkel Govan, seine Ziegen hüten, wenn er in die Stadt muss. Und im Garten haben wir ein bisschen Gemüse. Das reicht nicht immer, aber bisher sind wir nicht verhungert, und das ist besser, als wenn die Leute merken, dass Mutter tot ist, und uns von hier vertreiben. Die Hütte und der Garten sind das Einzige, was wir noch haben. Jabu und ich als die Ältesten haben beschlossen, dass wir um nichts in der Welt von hier weggehen wollen, jedenfalls nicht, solange Jama und Nosipho noch so klein sind.«

Der siebenjährige Jabu nickt entschlossen bei den Worten

seines älteren Bruders. Ich schäme mich, dass ich so lange kein Gemüse mehr vorbeigebracht habe. Wenn ich doch nur etwas geahnt hätte. Aber was ist aus Siphos Mutter geworden, wenn niemand merken durfte, dass sie tot ist?

Als könnte er meine Gedanken lesen, berichtet Sipho weiter: »Jabu und ich haben sie zwei Nächte nach ihrem Tod ein paar Meter hinter dem Schuppen begraben, tief genug, dass keine wilden Tiere sie ausbuddeln können, und gleich neben dem alten Baum, unter dem sie früher gern saß und übers Tal schaute, als das noch ging ...«

Nach Mama Zanele ist Sipho der zweite Mensch, den ich kenne, der das Wort AIDS ausspricht. Noch größer als der Schrecken über den Tod seiner Mutter ist das Gefühl unendlichen Vertrauens, das ich ihm gegenüber in diesem Moment empfinde. »*Enkosi kakhulu*, Sipho – dank dir.«

Während wir noch schweigend beieinander stehen, ruft die kleine Nosipho plötzlich mit ernstem Gesicht: »Ich muss mal!«

Unwillkürlich müssen Sipho und ich lachen. »Das Leben geht weiter«, sagt er trocken.

Jabu nimmt Nosipho bei der Hand und geht mit ihr zum Klo hinters Haus.

Dann wendet sich Sipho noch einmal an mich: »Themba, bitte behalt unser Geheimnis für dich. Niemand darf etwas davon wissen, jedenfalls vorläufig noch nicht.«

»Auch nicht Nomtha? Wir haben einander noch nie etwas verschwiegen.«

»Bitte, Themba, noch nicht. Nur wenn es nicht mehr anders geht bei euch daheim und ihr zu uns kommen wollt.«

»Versprochen.«

Auf dem Nachhauseweg nehme ich mir Zeit. Mir ist klar, dass die kommenden Wochen und Monate nicht einfach werden, aber ich bin fest entschlossen, mir und Nomtha von

Onkel Luthando nichts gefallen zu lassen, bis Mutter wieder bei uns ist. Auch wenn er körperlich stärker ist, hat er kein Recht, uns Vorschriften zu machen. Ich nehme mir Sipho zum Vorbild. Er ist nur wenig älter als ich und sorgt jeden Tag für drei Geschwister, ohne zu klagen oder andere um Hilfe zu bitten.

Als ich zu Hause ankomme, ist der Onkel noch nicht zurück. Nomtha und ich wärmen uns den letzten Rest von der Suppe auf, die Mutter noch gekocht hat. Nomtha achtet darauf, dass für Onkel Luthando noch etwas übrig bleibt. Als Nomtha fragt, warum meine Nase geschwollen ist, murmele ich nur etwas von einem Zusammenstoß beim Fußball.

Die ersten Wochen nach Mutters Abreise vergehen ohne weitere ernste Zwischenfälle zwischen Onkel Luthando und mir. Es herrscht eine Art Waffenstillstand, wobei wir uns so weit wie möglich aus dem Weg gehen und kaum miteinander sprechen. Wenn er mir etwas mitzuteilen hat, wendet er sich meist an Nomtha: »Sag mal deinem Bruder …«

Meinetwegen hätte das so bleiben können, vielleicht wären wir dann bis heute in unserem Dorf und würden auf Mutter warten. Wenn nicht zwei Ereignisse stattgefunden hätten, die alles veränderten. Und wenn wir weiter von Mutter Post bekommen hätten.

Wir erhalten in den ersten Monaten vier Postkarten und einen Brief von Mutter, die ich alle bis heute aufgehoben habe. Sie wurden im Abstand von jeweils drei bis vier Wochen aus Kapstadt abgeschickt, wie wir am Poststempel sehen. Einen Absender hat sie nicht angegeben. Jedes Mal schreibt sie, wie stolz sie auf uns sei und dass sie uns sehr vermisse. Sie berichtet kurz, dass sie die Putzstelle tatsächlich bekommen habe und dass es ihr gut gehe. Auf der letzten Karte schreibt sie, dass sie die Arbeit immer noch habe, obwohl sie eine Weile erkältet gewesen sei, und dass sie in einem Township südlich von Kapstadt wohne: »Nicht weit vom Meer, aber über dreißig Kilometer vom Stadtzentrum entfernt, sodass ich immer schon um fünf Uhr früh aufstehen muss.« Dann, mehr als vier Monate, nachdem sie uns verlassen hat, kommt nur noch ein Brief. Die Adresse auf dem Umschlag ist eindeutig in ihrer Handschrift geschrieben. In dem Umschlag steckt ein leerer weißer Bogen Papier, in dem drei Banknoten von je zweihundert Rand so gefaltet sind, dass dem Umschlag von außen nichts anzusehen ist. Kein Brief, keine Erklärung, kein Gruß, nichts.

Nomtha hat den Briefumschlag als Erste gefunden und auf mich und Onkel Luthando gewartet, um ihn gemeinsam zu öffnen. Ich hätte das lieber mit ihr allein getan, aber nun ist es zu spät.

»Das ist ein gutes Zeichen«, meint Onkel Luthando. »Sie hat Geld übrig und jedem von uns einen Schein geschickt.«

»Es ist nicht Mutters Art, keine Erklärung zu geben. Ich schlage vor, dass wir nur einen Schein für das Nötigste verwenden und den Rest des Geldes aufheben, bis wir wissen, was los ist.«

»Vielleicht kommt ja noch eine Karte?«, sagt Nomtha hoffnungsvoll.

Onkel Luthando scheint dringender als wir beide Geld zu benötigen: »Sag deinem Bruder, dass er seinen Schein gern sparen kann. Ich mach da nicht mit…« Und schon hat er Nomtha eine der Banknoten aus der Hand genommen.

Seit unserer Konfrontation am Tag von Mutters Abreise ist es das erste Mal, dass er mich herausfordert. In seinem Gesicht sehe ich die gleiche Härte und Entschlossenheit wie damals. Er wird das Geld nicht kampflos hergeben. Und ich möchte auf keinen Fall vor Nomthas Augen eine körperliche Niederlage einstecken. Deshalb entgegne ich nur, so beherrscht wie möglich: »Wenn wir wieder von Mutter hören und sie will es anders, wirst du es zurückzahlen.«

Er steckt die Banknote mit einem Achselzucken ein und wirft mir einen verächtlichen Blick zu. Dann verlässt er unsere Hütte ohne ein weiteres Wort und knallt hinter sich die Tür zu.

Schon länger essen wir abends nicht mehr gemeinsam. Von Tatomkhulu wissen wir, dass Onkel Luthando neue Saufkumpane gefunden hat, die wir nicht kennen. Bei Tatomkhulu ist er in den letzten Wochen nur noch selten gewesen. Oft schlafen wir schon, wenn er heimkommt. Wenigstens hat er sich bisher dann meist ruhig verhalten, sodass wir nur ab und zu aufwachen, wenn er aus Versehen im Dunkeln gegen einen Stuhl oder ein anderes Möbelstück rempelt. Dass er inzwischen beinah jeden Abend trinkt, riechen wir an der Schnapsfahne, die noch am Morgen in unserer kleinen Hütte hängt. Wenn wir zur Schule gehen, liegt er meist noch schnarchend im Bett.

Der Briefumschlag bleibt zunächst das letzte Lebenszeichen von Mutter. Oft reden Nomtha und ich abends vorm Einschlafen noch über sie.

»Ich mache mir Sorgen, dass ihr etwas passiert ist«, sagt Nomtha immer häufiger, je länger Post von Mutter ausbleibt.

»Dann hätte sie nicht so viel Geld schicken können«, behaupte ich, aber mehr, um sie zu beruhigen, als aus innerer Überzeugung.

»Wenn wir doch nur eine Anschrift hätten«, seufzt Nomtha. Bereits vor längerem haben wir Mama Zanele nach der Handynummer ihrer Freundin gefragt, um uns dort nach Mutter zu erkundigen. Nachdem wir ein paarmal Nachrichten auf ihrer Mailbox hinterlassen haben, ruft sie endlich eines Tages bei Mama Zanele zurück.

»Macht euch keine Sorgen«, sagt Mama Zanele. »Eure Mutter hat zwar nicht mehr den Job meiner Freundin, aber sie hat etwas Neues gefunden und auch etwas zum Wohnen irgendwo in jenem Township am Meer.«

»Ja«, sage ich, »das hat sie uns geschrieben.«

Aber wirklich beruhigen kann uns das nicht. Die neue Anschrift ist auch Mama Zaneles Freundin nicht bekannt. Ich zerbreche mir den Kopf, wie ich es anstellen könnte, mit Mutter Kontakt aufzunehmen, aber ich komme einfach nicht weiter. Auch Mama Zanele hat keine Idee, versucht, mich aber zu beruhigen, und sagt, wir sollten uns gedulden, vielleicht sei ja nur ein Brief verloren gegangen. Mutter werde sicher bald wieder von sich hören lassen. Ich gebe mir alle Mühe, aber Geduld ist ganz sicher nicht meine Stärke.

Doch dann ereignet sich etwas, was mich für eine Weile ablenkt und selbst Nomtha auf andere Gedanken bringt, weil ich von einem zum anderen Tag kaum noch von etwas anderem rede.

Als Erster hat Sipho davon gehört, als er mit den anderen Männern an der Kreuzung wartete und einer von denen gerade von einer Arbeit auf einer Baustelle in Umtata zurückkam. »Im Unabhängigkeits-Stadion von Umtata finden in drei Monaten die landesweiten Fußballmeisterschaften der Junioren statt. Alle Vereine aus dem Eastern Cape mit Mannschaften, deren Spieler nicht älter als sechzehn sind, können sich bewerben – das hat der Mann gesagt!«, berichtet Sipho einen Tag später, als alle »Löwenstürmer« zum Training bei ihm versammelt sind.

»Wir sind aus *eMpuma-Koloni*, dem Eastern Cape, und in unserem Verein ist niemand älter als sechzehn«, ruft Ayanda begeistert. »Das ist wie für uns gemacht!«

»Ist überhaupt schon jemand sechzehn?«, fragt Zama.

»*Mna* – ich«, antwortet Sipho. Bis jetzt war Sandla der Älteste gewesen, aber der ist vor ein paar Wochen zu seinem Vater nach iGoli gezogen. Ich weiß nicht genau, wann Sipho Geburtstag hat, weil er den noch nie gefeiert hat, seit ich ihn kenne. Aber das erinnert mich daran, dass ich in ein paar Wochen immerhin fünfzehn werde. Mit fünfzehn ist man schon ziemlich erwachsen.

»Wie muss man sich denn dafür bewerben?«, fragt Andy.

Gute Frage. Sipho zieht die Schultern hoch. »Davon hat der Mann an der Kreuzung nichts gesagt.«

Auf jeden Fall scheint die erste Information zu stimmen. Drei Tage später kommt Andy mit der neuesten Ausgabe von Laduma, in der ebenfalls von dem geplanten Wettstreit berichtet wird. Die Überschrift lautet: »Vorbereitung auf den Worldcup für südafrikanische Jugendliche.« Die Regierung hat, so steht da zu lesen, extra Geld lockergemacht, um »junge Talente für die bevorstehende Fußballweltmeisterschaft 2010 in Südafrika zu entdecken und zu fördern«. Auch eine Anschrift in Umtata ist angegeben, wo ein Delegierter des Sportministers ein Büro eingerichtet hat, das alles Weitere organisieren soll.

Etwa einmal in der Woche fährt Andys Vater nach Umtata, um Waren für seinen Laden einzukaufen. Ob wir da mitfahren können?

»Klar«, sagt Andy. »Ist bestimmt kein Problem.«

»Aber wer?«

Die meisten sind dafür, dass Andy, ich und Sipho als Älteste unsere Mannschaft in Umtata anmelden sollen. Ab dann gibt es kein Halten mehr.

Noch in der gleichen Woche brechen wir auf nach Umtata – Mr Steyn, Andys Vater, sitzt am Steuer des alten Lieferwagens und wir drei quetschen uns neben ihn auf die Beifahrerbank. Andy und ich tragen unsere Schuluniform und

Sipho habe ich mein zweites helles Hemd geborgt, eine dunkle lange Hose hatte er noch selbst. Von Andy habe ich ein paar Schuhe geliehen, und Sipho trägt seine alten Sandalen, weil wir nicht mehr rechtzeitig drangedacht haben, für ihn Schuhe zu organisieren.

Das Büro des Delegierten liegt im ersten Stock des Rathauses. Andys Vater war wegen irgendwelcher Genehmigungen schon mal da und findet es auf Anhieb. Aufgeregt stehen wir einen Moment vor der Tür. Dass wir bloß keinen Fehler machen und die Anmeldung vermasseln. Sipho nickt mir zu, dann klopft er vorsichtig an die Tür.

»Viel zu leise«, flüstert Andy.

Sipho klopft erneut, diesmal so kräftig, dass wir alle, einschließlich Andys Vater, zusammenzucken. Jetzt oder nie! Entschlossen drücke ich die Klinke herunter und – nichts. Das Büro ist abgeschlossen. Dafür wird die Tür des Nebenzimmers geöffnet und eine junge Frau schaut uns neugierig an.

»Kann ich was für euch tun?«

»Ja!«, ruft Andy. »Wir sind ein Fußballverein aus der Nähe von Mqanduli und wollen uns beim Sportminister für die Meisterschaft der Junioren anmelden!«

Sie lacht: »Der Sportminister ist hier noch nie gewesen.«

»Aber doch sein Delegierter?«, ergänzt Sipho schnell.

Sie schüttelt den Kopf: »Nein. Aber das ist auch gar nicht nötig. Ihr braucht nur ein Anmeldeformular auszufüllen – und dann müsst ihr abwarten, ob ihr zu dem Wettkampf zugelassen werdet oder nicht.«

»Können Sie so ein Formular mit uns ausfüllen?«, springt uns Andys Vater bei.

»Mal sehen«, antwortet sie. Dann geht sie zurück in ihr Büro, holt einen Schlüssel, der nicht passt, dann einen zweiten. Damit öffnet sie endlich die Tür vor uns und winkt uns herein. Sie wühlt einen Moment in einer Ablage und sagt dann triumphierend: »Hier – ich hab's!«

Als Anschrift unseres Vereins geben wir den Laden von Andys Vater an.

»Name des Vereins?«

Kein Problem: »Lion Strikers!«

»Und eure Trikotfarben?«

Wir schauen uns erschrocken an. Wir haben gar keine Trikots, von Farben ganz zu schweigen.

»Grün!«, ruft Sipho schließlich.

»Die Hosen?«, fragt die Frau.

»Ja«, stimme ich zu. Sie ist wirklich hilfsbereit.

»Und die Hemden?«

»Grün und Gelb«, sagt Andys Vater spontan.

»Gestreift?«, fragt sie nach.

Andys Vater nickt und unterschreibt unseren Antrag als unser offizieller Trainer.

Als wir wieder draußen sind, geben wir der Frau einer nach dem andern artig die Hand und gehen dann gesetzten Schrittes bis um die Ecke des langen Flurs.

Kaum sind wir außer Sicht, springen wir vor Freude gleichzeitig in die Luft.

»Wir waren so cool!«, ruft Andy.

Und Sipho klopft selbst Andys Vater auf die Schulter: »Sie waren klasse mit den gestreiften Hemden!« Noch nie habe ich Sipho so ausgelassen erlebt.

Als wir zwei Wochen später immer noch keine Nachricht aus Umtata haben, kommen uns Älteren langsam Zweifel.

»Die haben bestimmt viel zu viele Anträge bekommen«, vermutet Andy.

Und Ayanda fragt besorgt: »Habt ihr auch nichts falsch ausgefüllt?«

»Wir haben beinah alles falsch ausgefüllt«, erklärt ihm Sipho. »Aber das war unsere einzige Chance!«

Und dann jener unvergessliche Nachmittag, als Andy und sein Vater im Lieferwagen in mörderischem Tempo die Landstraße heraufgeknattert kommen und einfach über die offene Wiese bis hoch zu unserem Trainingsplatz holpern, wo sie mit einer Vollbremsung kurz vor unserem einzigen Tor zum Stehen kommen.

»Heeee…!«, schreit Andy und fällt beinah aus dem Auto. »Wir sind zugelassen – die Ausscheidungsspiele beginnen in einem Monat!«

Unsere Begeisterung kennt keine Grenzen. Wir jubeln und lachen und tanzen und liegen uns in den Armen vor Glück. Wir haben es geschafft, wir haben es tatsächlich geschafft! Jetzt müssen wir nur noch spielen. Und natürlich gewinnen.

In den kommenden Wochen treffen wir uns beinah jeden Tag zum Training, auch wenn nicht immer alle dabei sein können. Inzwischen sind wir mehr als dreißig »Löwenstürmer«. Die Jüngsten sind so um die acht Jahre, der Älteste ist nach wie vor Sipho mit sechzehn. Seit kurzem spielen auch drei Mädchen bei uns mit, die anfangs immer nur zum Zuschauen gekommen waren. Erst waren wir prinzipiell dagegen, Mädchen mitmachen zu lassen, schließlich spielen die Erwachsenen ja auch nicht in gemischten Mannschaften. Aber Lindi, Thembeka und Thandi haben sich nicht abschütteln lassen, und wir mussten irgendwann zähneknirschend zugeben, dass sie gar nicht so schlecht spielen. Um ehrlich zu sein, ist Lindi von uns allen die Beste im Tor.

Kurz vor Ende des Monats erhalten wir die genauen Spieltermine für die Vorentscheidungen im Achtelfinale und, für den Fall, dass wir es schaffen, auch die Daten für das Viertel- und Halbfinale. Der Endkampf um den Juniorsieger des Eastern Cape soll am 16. Juni, dem nationalen *Tag der Ju-*

gend, im großen Unabhängigkeits-Stadion von Umtata stattfinden.

»Das ist gut«, sagt Ayanda, »das ist ein Feiertag im ganzen Land. Bestimmt wird das Stadion dann rappelvoll sein.«

»Denkst du, dass wir dafür Karten kriegen und eine Mitfahrgelegenheit nach Umtata?«, fragt sein jüngerer Bruder Akha zweifelnd.

Ayanda schlägt ihm auf die Schulter und lacht: »Karten? Mann, da spielen wir!«

Wir anderen lachen auch, aber niemand glaubt an so etwas Verrücktes.

»Wer ist denn unser erster Gegner nächste Woche?«, will Sipho wissen.

Wir beugen uns alle über den Brief, den Andy und sein Vater mitgebracht haben.

»Hier steht's.« Ich zeige mit dem Finger auf unseren Verein und lese den Namen daneben vor: Idutywa Warriors. Nie gehört. Idutywa ist eine Stadt an der großen Autostraße Richtung iMonti, aber die »Idutwya-Krieger« scheinen genauso neu zu sein wie wir.

Zwei Tage vor dem ersten Spiel, das auf dem Sportplatz der Yizani High School in Idutywa stattfinden soll, müssen wir uns endgültig für die Aufstellung der elf besten Spieler entscheiden. Keine leichte Sache. Schließlich einigen wir uns darauf, einige der jüngeren als Reservespieler mitzunehmen. Sipho und Andy werden im Sturm eingesetzt, ich bin am besten im Mittelfeld und Ayanda wird im Tor stehen. Lindi protestiert: »Ich bin aber besser als Ayanda ...«

Wir schauen uns verlegen an und drucksen eine Weile herum. Schließlich meint Sipho: »Lindi, bei den andern spielen auch keine Mädchen mit. Die werden uns auslachen, wenn du im Tor stehst. Das willst du doch sicher auch nicht, oder?«

»Denen würde das Lachen schon vergehen. Wenn wir gleich am Anfang rausfliegen, lachen sie noch mehr. Und dann seid ihr schuld«, sagt sie wütend.

Wir gucken alle ziemlich betreten unsere nackten Zehen an. Im Grunde weiß jeder, dass sie Recht hat, aber keiner sagt was, ich auch nicht.

»Was ist mit den Trikots?«, fragt Thabo, vielleicht auch um abzulenken.

»Kein Problem«, erklärt Andy. »Mein Vater hat angerufen, um zu fragen, wo die Yizani High School genau ist, und hat dabei nach den Trikots gefragt. Auch die meisten anderen Mannschaften haben keine kompletten Trikots. Wir müssen eine Armbinde in einer unserer Farben tragen, das ist alles. Und der Sportminister bezahlt die Busfahrt für alle Mannschaften zu den Spielen, sodass mein Vater sogar noch Benzingeld bekommt. Wisst ihr eigentlich, was der erste und der zweite Preis sind?«

Daran hatten wir bei der ganzen Aufregung noch gar nicht gedacht. Jetzt schauen wir ihn alle erwartungsvoll an.

Andy holt tief Luft: »Die Siegerelf bekommt 10 000 Rand und die Mannschaft auf dem zweiten Platz 5000 Rand.«

Mann, das ist ein Vermögen! Keiner von uns hat schon mal so viel Geld auf einem Haufen gesehen. Davon könnten wir Fußballschuhe für alle kaufen oder gestreifte Trikots in Grün und Gelb oder ein zweites Fußballtor bauen oder …

Am Sonntagmorgen brechen wir früh auf, einige von uns mit Andys Vater im Lieferwagen, mit dem wir auch Getränke, Proviant und Handtücher transportieren, die anderen mit einem Minibus, der extra für uns gemietet ist und direkt bis zum großen Stadion in Idutywa fährt. Insgesamt sind wir achtzehn, darunter auch Lindi und Thembeka. Kaum jemand von uns hat die Nacht zuvor geschlafen.

Außer unserem Spiel gegen die Idutywa Warriors finden an diesem Vormittag noch drei andere Begegnungen statt. Mit den Spielern der Vereine, die aus der Nähe stammen, sind auch viele Freunde und Eltern gekommen. Sogar ein Radioreporter ist anwesend und ein Fotograf von einer Lokalzeitung macht Fotos von allen teilnehmenden Mannschaften. Und dann werden wir auch schon vom Schiedsrichter, einem jüngeren Sportlehrer der Yizani High School, zur Aufstellung aufs Spielfeld gerufen. Zum ersten Mal sehen wir unsere Gegner aus der Nähe. Sie scheinen im Durchschnitt älter zu sein als wir. Aber auch sie haben keine Trikots, allerdings tragen drei Spieler ziemlich neue Fußballschuhe. Wir sind erleichtert, als der Schiedsrichter auf sie zugeht und sie auffordert, die Schuhe auszuziehen.

»Gleiche Bedingungen für alle«, sagt er ernst, und die drei gehorchen ohne Murren.

Endlich der Anpfiff!

Die erste Halbzeit beginnt zäh. Genau wie unsere Gegner sind wir schrecklich nervös. Mehrfach verschenkt Sipho gute Pässe, und auch Ayanda ist längst nicht in der Form, die wir sonst von ihm kennen. Zum Glück ist der Torwart unserer Gegner ebenso schlecht, und so kommt es, dass am Ende der ersten Halbzeit eine Menge Tore gefallen sind. Trotzdem ist niemand zufrieden mit dem Spiel. Es herrscht Gleichstand 6:6. Als wir zur zweiten Halbzeit aufs Spielfeld zurückkommen, stellen wir fest, dass viele Zuschauer nach der Pause zu anderen Spielen gegangen sind, die wohl mehr Spannung versprechen.

Obwohl inzwischen der Herbst begonnen hat, brennt die Sonne an diesem Vormittag noch mal knallheiß vom Himmel. In der zweiten Halbzeit müssen wir erkennen, dass wir noch längst nicht genug Kondition haben, um die volle Länge eines Spiels gut durchzuhalten. Genau wie unsere

Gegner. Mehrfach werden in beiden Mannschaften Reservespieler eingewechselt. Das Spiel wird jedoch nicht besser davon. Am Ende gewinnen wir ganz knapp, weil einer der gegnerischen Verteidiger bei einem Gerangel vor deren Tor die Übersicht verliert und ein Eigentor schießt.

»Mann, waren wir schlecht!«, stöhnt Sipho, als wir uns nach dem Umziehen alle beim Lieferwagen treffen. Wir rechnen es Lindi hoch an, dass sie Ayanda nicht fertig macht, der im Tor so unsicher war wie noch nie und jetzt völlig niedergeschlagen ist. Nur Andys Vater versucht, uns zu ermutigen, und klopft dem einen oder andern, der besonders finster dreinschaut, tröstend auf die Schulter: »Immerhin habt ihr gewonnen!«

Als der Schiedsrichter schließlich aufkreuzt, um uns die frohe Nachricht zu verkünden, dass wir ins Viertelfinale vorgerückt sind, fällt allen ein Stein vom Herzen. Aber stolz sind wir nicht auf das, was wir heute gezeigt haben.

Vielleicht kam der Schock von Idutywa genau zum richtigen Zeitpunkt. Zwar haben wir auch schon in den letzten Wochen vor dem Achtelfinale unser Training ernster genommen als je zuvor, aber jetzt hat uns alle der Ehrgeiz gepackt. In der Zeit bis zum Viertel- und Halbfinale steigern wir unsere Leistungen in einem Maß, wie wir es davor kaum für möglich hielten. Es ist, als habe uns das vergeigte Spiel in Idutywa erst richtig deutlich gemacht, woran wir arbeiten müssen, wenn wir jemals mehr sein wollen als ein bunt zusammengewürfelter Haufen von Provinzlern – ein paar Chaoten, die nur Fußball spielen, weil sie nichts Besseres zu tun haben.

Bislang haben wir oft in mehr oder weniger zufälligen Formationen von manchmal sieben oder acht, zuweilen auch nur sechs Spielern pro Mannschaft gegeneinander gespielt. Ab nun beginnen wir, systematisch eine richtige Elf aufzubauen, und jeder von uns trainiert gezielt seinen Platz in der Mannschaft und die Zusammenarbeit mit den andern.

Beim Viertelfinale, das nur drei Wochen später in Mqanduli stattfindet, sind wir zum ersten Mal eine Mannschaft, die richtig zusammenspielt.

Zugegeben, auch beim zweiten Spiel in diesem Turnier haben wir Glück mit unserem Gegner. Obwohl es eine Jugendelf aus einem »besseren« Viertel in iMonti ist, mit Spielern, die alle Trikots anhaben und nur unseretwegen ihre Fußballschuhe ausziehen müssen, fehlt bei ihnen der volle Einsatz. Sie geben schon halb auf, nachdem wir die ersten beiden Tore gelandet haben, und fangen in der zweiten Halbzeit sogar Streit untereinander an. Über den 4:2-Sieg können wir uns zu Recht freuen.

Jeden Tag nach der Schule und auch am Wochenende trainieren wir auf unserem Platz beim Tor in der Nähe von Siphos Hütte. Immer öfter stehen jetzt Kinder und Jugendliche aus der Nachbarschaft dabei und schauen den ganzen Nachmittag über zu. Als Nomtha das erste Mal mitkommt, sagt sie danach mit einem warmen Lächeln: »Themba, du spielst echt gut! Hast du gesehen, wie die Jüngeren zu dir aufschauen? Ich bin richtig stolz auf dich.«

Onkel Luthando fällt auf, dass wir beide nachmittags häufig nicht daheim sind. Das ist alles. Wohin wir gehen, interessiert ihn nicht. Einmal beschwert er sich:

»Gestern Abend war überhaupt kein Essen mehr im Haus. Kümmert ihr euch um gar nichts mehr?« Wir antworten beide nicht.

Ganz anders Großvater. Er gratuliert mir, als wir die Zulassung zum Turnier bekommen, und bedauert, dass er nicht mitkommen kann: »Meine alten Knochen wollen einfach nicht mehr so… aber ich drücke euch fest die Daumen!« Dabei klopft er mir mit seiner faltigen Hand ermutigend auf die Schulter.

Dann ist schließlich der Tag des Halbfinales, bei dem wir zum ersten Mal in einem richtigen Stadion mit Sitzreihen und Tribüne spielen. Erst sollten wir sogar bis nach iBayi, dem großen Port Elisabeth, fahren, aber in letzter Minute wird alles wegen irgendwelcher Bauarbeiten ins berühmte Unabhängigkeits-Stadion nach Umtata verlegt, dorthin, wo auch das Finale stattfinden wird.

Es gibt in Umtata eigene Gebäude zum Umkleiden und Duschen mit warmem und kaltem Wasser. Schiedsrichter wird ein Profi sein, der sogar schon in der Ersten Liga gepfiffen haben soll. Unsere Gegner nennen sich Soccer Sharks – »Fußball-Haie«. Sie kommen aus einem kleinen Ort an der Küste, von dem wir noch nie gehört haben. Aber sie sind genauso wild entschlossen zu gewinnen wie wir.

Bomvu njengegazi

Blutrot

Zum Halbfinale des großen Jugend-Fußballturniers der Provinz Eastern Cape sind einige tausend Zuschauer gekommen. Sogar ein Fernsehteam soll im Stadion sein, um für die Sportnachrichten am Abend zu berichten. Ganze Schulklassen aus mehreren Oberschulen der Umgebung sind erschienen, da der Eintritt noch ein letztes Mal frei ist. Für das Finale in einer Woche werden Tickets verkauft. Andys Vater hat gehört, dass auch ein paar bekannte Funktionäre von *SAFA*, der nationalen Fußballorganisation Südafrikas, auf der Tribüne sitzen werden, um nach besonders talentierten Spielern Ausschau zu halten.

»Und was dann?«, fragt Andy nach.

»Keine Ahnung«, antwortet sein Vater. »Vielleicht werden die zu einem besonderen Training eingeladen.«

In diesem Moment denkt jedoch niemand von uns an die Zukunft. Die Gegenwart ist aufregend genug. Als wir aus den Umkleideräumen aufs Spielfeld gerufen werden, laufen wir im Gänsemarsch hinaus – zuerst Sipho als unser Kapitän, dann wir anderen hinterher, genau wie wir es zu Hause geübt haben. Der Schiedsrichter, ein farbiger Mann, dessen Foto ich schon mal in Laduma gesehen habe, aber auf dessen Namen ich jetzt nicht komme, weist uns eine Linie zu, an der wir uns aufstellen müssen. Dann kommen auch die Soccer Sharks herausgelaufen, und das Stadion beginnt, voller Begeisterung zu johlen und zu klatschen. Es hört sich unglaublich an, so viele Menschen, die wegen dir und deinen Freunden einen Heidenlärm machen.

Sipho stößt mich an: »Gilt das wirklich alles uns?«

»Ja klar!«

Noch immer geht es nicht los. Der Schiedsrichter bittet die Kapitäne beider Mannschaften zu sich. Sie müssen sich einander mit ihren Vornamen vorstellen und sich die Hand auf ein faires Spiel geben. Über den Stadionlautsprecher hören wir einen Ansager zuerst auf Xhosa, dann auf Englisch rufen: »*Masibaqhwabeleni!* Dieser Applaus ist euer Willkommen! Ein Willkommen für unsere beiden Mannschaften! Die Haie mit rotem Band spielen in der ersten Halbzeit von rechts und die Löwen mit grünem Band spielen von links. Einer von beiden wird das Endspiel an Südafrikas Tag der Jugend bestreiten und ist damit in jedem Fall schon zweiter Sieger. Die andere Mannschaft wird ausscheiden und den dritten oder vierten Platz belegen. Dieser Applaus ist euer Willkommen, Haie und Löwen! Den nächsten müsst ihr euch verdienen – durch ein Superspiel!«

Dann beginnt aus einem Lautsprecher unsere Nationalhymne zu plärren. Augenblicklich singt das ganze Stadion mit: »*Nkosi sikelel' iAfrika* – Gott schütze Afrika …«

Während wir singen, werfe ich Sipho einen verstohlenen Blick zu und sehe, dass er Tränen in den Augen hat. Ich bin sicher, dass er an seine Mutter denkt wie ich an meine. Wenn die uns jetzt nur sehen könnten … Nomtha kann ich in dem riesigen Stadion nicht erspähen, obwohl ich weiß, dass sie mit Siphos Bruder Jabu irgendwo in der ersten Reihe sitzen muss.

Der Himmel über dem Stadion ist bewölkt, das ist gut. Während wir uns auf unsere abgesprochenen Positionen verteilen, spüre ich einen kühlen Wind. Trotzdem wird in den kommenden zwei Halbzeiten niemand von uns frieren, ganz sicher nicht.

Da kommt auch schon der Anpfiff. Anstoß haben die Haie und dringen damit auch augenblicklich in unsere Hälfte des Feldes vor. Sie sind unglaublich gut im Dribbeln, richtige Artisten. Gleich zweimal hintereinander umspielen mich zwei der gegnerischen Jungen und bekommen dafür Beifall vom Publikum. Zum Glück steht unsere Verteidigung und Ayanda ist heute in Topform. Er ist der Erste aus unserer Mannschaft, der vom ganzen Stadion bejubelt wird, nachdem er einen direkt unter die Torlatte gesetzten Ball abfängt, den er mit einem fantastischen Sprung gerade noch packen kann.

Allmählich können auch wir unser Zusammenspiel aufbauen und dem Ansturm der energiegeladenen Haie besser standhalten. Mehrere Male gelingt es, gute Pässe zwischen mir, Sipho, Andy und zwei anderen Jungen aus unserer Elf zu platzieren, die uns wieder und wieder direkt bis vors gegnerische Tor bringen. Der Torwart der Haie ist ein Riese, bestimmt zwei Meter lang. Kaum zu glauben, dass der nicht älter als sechzehn sein soll. Er ist nicht besonders kräftig, aber läuft und springt hin und her wie eine Antilope. Obwohl bis zum Ende der ersten Halbzeit kein einziges Tor fällt, sind wir nicht unzufrieden. Es ist das beste Spiel, das wir jemals geboten haben. Auch das Publikum im Stadion honoriert den Einsatz beider Mannschaften mit langem Beifall.

In der Pause stehen wir im Kreis um Andys Vater herum, der für jeden von uns Vitamingetränke organisiert hat.

»Ihr müsst mehr angreifen!«, rät er uns. »Es kommt jetzt vor allem darauf an, wer die bessere Kondition hat, und ich habe gesehen, dass bei den Haien ein paar der Jüngeren schon ziemlich alle sind …«

Sipho nickt zustimmend. Ich schaue ihn skeptisch an, denn ich habe bisher keinen unserer Gegner erschöpft gesehen. Plötzlich stehen auch Nomtha, Lindi und Jabu neben uns in der Kabine.

»Ihr wart wirklich Klasse!«, sagt Nomtha anerkennend, und auch Lindi und Jabu nicken. Lindi drückt Ayanda die Hand. Und als sich die Ersten bereits neben den Eingang gestellt haben, um auf den Ruf des Schiedsrichters zur Rückkehr aufs Feld zu warten, tritt auf einmal Nomtha ganz nah an mich heran und gibt mir einen Kuss auf den Mund: »*Mntakwethu* – mein Bruder, ihr werdet es schaffen!«

Ich streiche mit der Zungenspitze über meine Lippen und bin für einen Moment so glücklich wie vielleicht noch nie im Leben zuvor.

Bevor ich etwas entgegnen kann, schiebt mich Nomtha zum Kabinenausgang: »Los ... ihr müsst wieder raus!« Als ich mich noch immer nicht von selbst bewege, lacht sie und ruft: »*Hamba maan* – jetzt hau aber ab!«

Da muss ich auch lachen und laufe hinaus, höre den aufbrausenden Beifall des Publikums und hüpfe schließlich federnd auf meiner Position im Mittelfeld. Was immer kommt, ich werde stark sein und mein Bestes geben.

Unmittelbar nach dem Anpfiff befolgen wir den Rat von Andys Vater und konzentrieren uns auf den Angriff. Gut fünfzehn Minuten bestimmen wir das Spiel, und wenn die Haie nicht ihren Langen im Tor hätten, lägen wir sicher bereits mit zwei Toren in Führung. Dann aber wendet sich das Blatt, und die Haie, die schon drei Spieler ausgetauscht haben, dringen wieder öfter in unsere Hälfte vor. Bisher haben sie genauso hart gespielt wie wir, aber durchgehend fair. Einer der bei den Haien neu ins Spiel gekommenen Stürmer jedoch hat einen anderen Stil, ohne jede Rücksicht auf sich selbst oder andere. Er ist nicht größer als ich, aber stämmiger, und obwohl er barfuß ist, tritt er zu, als trüge er Stiefel mit Eisenkappen. Sipho hat bereits eine blutende Wunde am Schienbein, die mit einem Pflaster verarztet wird und für die wir einen Freistoß bekommen.

Das Unglück beginnt gut zehn Minuten vor Ende der zweiten Halbzeit. Noch immer ist kein Tor gefallen und beide Mannschaften werden langsam nervös. Dann geht alles plötzlich ganz schnell, eine Sache von wenigen Sekunden. Der neue Stürmer umspielt zuerst mich, gibt dann einen Pass zu einem seiner Leute und läuft selbst dicht vor unser Tor, ohne von einem unserer Verteidiger gedeckt zu werden. Ayanda erkennt die Gefahr, aber bei diesem geringen Abstand ist er machtlos. Der zweite Pass der Haie zurück zu dem Neuen gelingt und der verwandelt einen Schuss in die obere linke Torecke – das erste Tor für unsere Gegner. Die Haie-Fans im Stadion toben vor Begeisterung.

Nach dem Anstoß missglückt uns ein Pass und die Haie stürmen erneut auf unser Tor zu. Hinter mir ist nur noch einer unserer jüngeren Verteidiger, als der Neue auf mich zukommt und, anstatt mich zu umspielen, voll in mich reinrennt. Wir gehen beide zu Boden, aber er springt als Erster auf, und ich schaue entsetzt zum Schiedsrichter, der einfach weiterspielen lässt, obwohl es sich hier um ein klares Foul gehandelt hat. Unser junger Verteidiger hat keine Chance und – zack – sitzt das zweite Tor. Die Anhänger der Haie jubeln erneut, aber es sind auch viele Pfiffe zu hören, die an die Adresse des Schiedsrichters gehen.

Nur noch fünf Minuten zu spielen … Wir lassen uns unseren Ärger nicht anmerken und bauen unsere Angriffe auf, als hätten wir noch das ganze Spiel vor uns. Noch ein einziges Mal gelingt unserem Gegner ein Durchbruch. Außer dem Neuen hat noch ein weiterer Stürmer der Haie dessen brutalen Stil übernommen, der unseren Gegnern zwar nicht gerade die Sympathie im Stadion eingebracht hat, aber dafür immerhin schon zwei Tore. Ich bewundere Ayanda für die Ruhe, die er selbst jetzt noch ausstrahlt. In gebeugter Haltung steht er unter der Torlatte und fixiert einen der beiden Gegner, der in ungebremstem Tempo mit dem Ball auf ihn zustürmt.

Das Publikum hat wieder zu johlen begonnen… Ein drittes Tor scheint unvermeidlich. Da springt Ayanda plötzlich in zwei, drei Sätzen nach vorn und wirft sich der Länge nach auf den Ball. Anstatt noch rechtzeitig zu schießen oder auszuweichen, tritt der Stürmer mit aller Kraft zu und trifft statt des Balls Ayanda mitten ins Gesicht. Ayandas Kopf fliegt zurück, der gesamte Körper krampft im Schmerz zusammen, während beide Arme noch immer den Ball umschlossen halten. Ein Aufschrei geht durchs Stadion. Der Schiedsrichter kommt angelaufen und pfeift augenblicklich ab. Diesmal ist kein Zweifel möglich: »Foul!«

Dem Stürmer der Haie wird die Rote Karte gezeigt, was er murrend zu akzeptieren scheint.

Etwa gleichzeitig mit dem Schiedsrichter bin ich bei Ayanda. Er liegt bewusstlos auf dem Boden, Blut rinnt aus der Nase und aus einer Platzwunde an der Stirn.

»Sanitäter!«, schreit der Schiedsrichter und beginnt, mit einem ersten Verbandspäckchen, das er aus der Hosentasche zieht, die Blutung an der Stirn zu stoppen. Zusammen mit den zwei Sanitätern kommen auch Andys Vater, Nomtha, Lindi und Jabu zu uns aufs Feld. Besorgt beugen wir uns gemeinsam über unseren Freund. »Wahrscheinlich eine schwere Gehirnerschütterung… Wir bringen den Jungen sofort ins Krankenhaus!«, erklärt einer der beiden Sanitäter ruhig. »Ich fahre mit, wir sehen uns später«, erklärt Andys Vater und folgt den beiden, die Ayanda auf einer Trage vom Platz bringen.

Dann ruft der Schiedsrichter Sipho als unseren Kapitän zu sich und erklärt in unserem Beisein: »Zwei Dinge sind jetzt zu entscheiden: Ihr müsst einen Ersatztorwart benennen, und für das Foul gibt's einen Freistoß, den einer von euch schießen muss. Ich gebe euch drei Minuten, um das zu klären.«

Sipho schaut kurz in unsere Runde. Wir nicken. Eine Diskussion ist nicht nötig – er hat das Recht, für uns zu sprechen.

»Mister«, sagt Sipho mit tiefer Stimme, »wir brauchen keine drei Minuten. Wir möchten, dass Sie uns erlauben, die letzten vier Minuten unseren zweitbesten Torwart einzubringen, auch wenn das vielleicht gegen internationale Regeln verstößt.«

Der Schiedsrichter wischt sich den Schweiß von der Stirn und schaut ungeduldig ob der langen Erklärung.

»Hier – das ist Lindi«, sagt Sipho. Er nickt Lindi zu, die ein grünes Band aus ihrer Hose zieht und sich wortlos die Schuhe abstreift, um mitspielen zu können.

»No, no ...«, entgegnet der Schiedsrichter, »das ist wirklich nicht möglich!« Er guckt sich suchend nach einem der Linienrichter um, der aber weit weg steht und in eine ganz andere Richtung schaut.

»Und den Freistoß schießt Andy für uns«, fährt Sipho unbeirrt fort und zeigt mit dem Finger auf mich.

Im Stadion macht sich allmählich Unruhe breit. Gleichzeitig kommt der Ansager mit einem drahtlosen Mikrofon über den Rasen auf uns zu und fragt den Schiedsrichter nach Ayandas Verwundungen. Sie gehen ein paar Schritte von uns weg und reden leise, aber wild gestikulierend miteinander.

Einen Moment später hören wir die Stimme des Ansagers über die Lautsprecher: »Das Spiel wird fortgesetzt mit einem Strafstoß für die Löwen, ausgeführt von der Nummer 6 –

Andy. Bitte begrüßt im Tor der Löwen für den verletzten Ayanda, dem wir alles Gute wünschen, den zweitbesten Torwart der Löwen … – Lindi!«

In den wenigen Sekunden, die Lindi braucht, um zu unserem Tor zu laufen, braust freundlicher Beifall auf.

Dann muss der Freistoß ausgeführt werden. Während wir zu unseren Positionen laufen, ruft Andy zu Sipho: »Du musst das machen … du bist unser Kapitän!« Er schüttelt nur den Kopf. Wie so oft scheint es, als hätte Sipho sich längst auf einen solchen Fall vorbereitet und eine Entscheidung getroffen.

Im Stadion wird es still, als der Ball vom Schiedsrichter platziert wird. Dann tritt Andy zu – der Ball fliegt bis in die gegnerische Hälfte, Zama übernimmt, sprintet weiter nach vorn und gibt einen steilen Pass zu mir durch. Wir haben so einen Aufbau oft bei Siphos Hütte geübt – es gelingt auch jetzt. Ich übernehme den Ball, umspiele einen Verteidiger und tue so, als wollte ich den Ball hoch unter die Latte setzen. Im allerletzten Moment knalle ich ihn direkt in die untere rechte Ecke. Der Lange reißt nur kurz die Arme hoch, doch das reicht, um nicht mehr schnell genug in die rechte Ecke seines Tors fliegen zu können.

»*Laduuuma, laduuuma* – Tor, Tor!«, höre ich es erst um mich herum, dann aus weiter Ferne wie einen gewaltigen Chor, durchmischt von Beifall und Schreien und schließlich der aufgeregten Stimme des Ansagers: »Tor, Tor! Das erste Tor für die Löwen – durch Themba! Damit steht es 2:1 für die Haie. Noch vier Minuten zu spielen.«

In den letzten Minuten legen wir wie zum guten Abschied noch einen schönen Angriff hin, der knapp am Tor der Haie vorbeigeht. Beim Gegenangriff entsteht eine spannende Situation vor unserem Tor, die Lindi, von Beifall begleitet, professionell meistert und schließlich mit einem grandiosen Schuss in die gegnerische Hälfte abschließt. In dem Moment ertönt der Abpfiff des Schiedsrichters.

Sipho und der Kapitän der Haie laufen aufeinander zu und schütteln sich die Hände. Sipho gratuliert zum Sieg und der andere Kapitän entschuldigt sich für das Foul. Bei der Schlussansage werden beide Mannschaften mit lang anhaltendem Beifall des Publikums belohnt.

Während wir vom Platz laufen, sehe ich Nomtha winken. Ich winke zurück. Nur ihr … Sipho sieht es und lacht mir zu.

Einerseits bin ich sauer wegen der beiden brutalen Fouls und Ayandas und Siphos Verletzung. Um Ayanda machen wir uns alle Sorgen und so ist die Stimmung nicht besonders ausgelassen. Andererseits haben wir heute gezeigt, was wir können, und darauf können wir alle stolz sein. Wir waren nicht die schlechtere Mannschaft, die andern waren nur rücksichtsloser. Und auch wenn mir mehrere zum gelungenen Tor gratulieren, waren wir heute vor allem als Team so gut wie nie zuvor.

Während wir uns noch umziehen und Witze zu Lindi hinüberrufen, für die extra eine Damen-Umkleideabteilung aufgeschlossen wurde, klopft es plötzlich an unsere Tür.

»*Ngena* – herein«, ruft Sipho, »wer immer mit den zukünftigen Weltmeistern aus Qunu sprechen will!«

Die Tür geht auf, und ein älterer farbiger Typ im Anzug steht davor, den noch niemand von uns je gesehen hat.

»Wo ist euer Trainer?«, fragt er, ohne sich vorzustellen.

»Im Krankenhaus«, entgegnet Sipho. »Bei Ayanda, unserem verletzten Torwart.«

Andy sieht als Erster, dass der Mann ein superprofessionelles Handy am Gürtel trägt. »Mein Vater hat auch ein Handy!«, ruft er. »Also wenn Sie mit unserem Trainer, meinem Vater, sprechen wollen …« Und er sagt ihm die Nummer aus dem Kopf auf.

Der Fremde nickt, zieht das Handy heraus und tippt die Telefonnummer von Andys Vater ein.

»Hallo«, sagt er dann, und wir können es alle hören, »hier spricht John Jacobs, Cheftrainer von Ajax Cape Town. Wie geht's Ihrem Torwart?«

Uns fallen fast die Augen aus dem Kopf. Der Mann vor uns ist tatsächlich »Big John«, wie er von Freunden wie Feinden genannt wird, einer der einflussreichsten Typen im Fußball von Südafrika und einer der Begründer des Erstliga-Klubs aus iKapa.[2]

»Der sieht total anders aus als auf den Fotos in Laduma«, flüstert Sipho neben mir.

Big John lauscht einen Moment in den Hörer und sagt zweimal kurz: »Gut, gut!« Dann unterbricht er das Gespräch und ruft uns zu: »Euer Freund ist schon wieder auf den Beinen. Die Wunde am Kopf musste genäht werden, aber er kann noch heute wieder mit euch nach Hause fahren!«

Wir jubeln und klopfen uns erleichtert gegenseitig auf die Schultern. Niemand nimmt Anstoß daran, dass Lindi und Nomtha inzwischen zu uns in den Männer-Umkleideraum gekommen sind, um zu erfahren, was los ist. Währenddessen hat Big John weiter mit Andys Vater gesprochen, was leider im allgemeinen Lärm untergeht. Als endlich wieder Ruhe herrscht, hat er sein Handy bereits wieder abge-

[2] Wenn hier im Roman vom echten Fußballverein Ajax Cape Town die Rede ist, dann sind dennoch alle geschilderten Ereignisse und Personen frei erfunden. Bei Ajax Cape Town zum Beispiel gibt es ein ausführliches Auswahlverfahren junger Talente mit einem eigens angestellten Scout, das mehr Regeln folgt, als hier dargestellt wird. Allerdings gehört es tatsächlich zu den erklärten Zielen von Ajax Cape Town, »zur Entwicklung von jungen Spitzenfußballern« in Südafrika beizutragen.

schaltet. Noch immer wissen wir nicht, was er eigentlich will.

Schon steht er wieder bei der Tür, dreht sich dann aber noch einmal um und sagt: »Ihr seid ein gutes Team!« Und zu Sipho: »Guter Kapitän!« Zu Lindi gewandt, brummt er anerkennend: »Klasse-Torwart, das sieht man schon nach drei Minuten!«

Wir freuen uns über sein Lob, als hätten wir das Spiel gewonnen und nicht die Haie.

Doch die größte Überraschung hat er noch in petto: »Ich habe deinem Vater meine Nummer und Anschrift hinterlassen«, sagt er zu Andy. »Ich will, dass ihr lernt, mit Fußballschuhen zu spielen, und werde dafür sorgen, dass er elf Paar bekommt, sobald ich eure Größen weiß!«

Das ist mehr, als wir je erhofft hätten. Wir springen vor Freude in die Luft, lachen und umarmen uns, als wären wir heute die Sieger der Ostkap-Provinz geworden und nicht gerade ausgeschieden. Sipho geht auf ihn zu, reicht ihm die Hand und sagt ganz pathetisch: »Im Namen der Lion Strikers meinen Dank – wir werden weiter unser Bestes geben!«

Wir klatschen, als hätte Sipho eine lange Rede gehalten.

Es ist eher Zufall, dass ich Big John die Tür aufhalte. Aber er legt mir den Arm um die Schultern und zieht mich ein Stück weit mit hinaus auf den Flur: »Du bist doch Themba, der das Tor geschossen hat?« Ich nicke. Da greift er in seine Hosentasche und zieht eine kleine hellblaue Karte heraus, auf der oben rechts das rote Symbol von Ajax Cape Town zu erkennen ist. »Ich würde dich gern noch mal spielen sehen. Ruf mich doch mal an. Ich bin in ein oder zwei Monaten wieder in der Gegend.«

Beeindruckt stecke ich die kleine Karte weg. Natürlich werde ich sie später Sipho und Andys Vater zeigen und beide um Rat fragen.

Als wir kurz darauf gemeinsam die Kabinen verlassen, um beim Stadioneingang auf Ayanda und Andys Vater zu warten, bevor wir die Rückfahrt antreten, kommen noch alle möglichen Leute auf uns zu, die uns sehen möchten. Ein Sportreporter macht ein kurzes Interview mit Sipho auf Xhosa und mit Andy auf Afrikaans. Ein paar jüngere Schüler fragen, ob wir Autogrammkarten haben. Ich lache und schreibe einem der Jungen, die höchstens acht oder neun sind, meinen Namen mit einem Kuli auf den Arm. Sogleich wollen die anderen ebenfalls unsere Unterschriften auf die Haut geschrieben bekommen.

»Ab jetzt nie mehr waschen!«, ruft Sipho, und alle lachen.

Endlich kommt Andys Vater mit Ayanda aus dem Krankenhaus zurück. Ayanda gibt sich zwar alle Mühe, sich nichts anmerken zu lassen, aber er muss doch üble Schmerzen haben. Sein Kopf ist zur Hälfte verbunden und die Nase und seine rechte Wange sind schauderhaft angeschwollen. Er winkt uns zu, aber kann nicht sprechen.

»Ayanda hat nicht mal gewimmert, als der Arzt die Wunde genäht hat«, meint Andys Vater anerkennend.

Wir geben dem Verletzten den besten Platz im Minibus und teilen uns dann für die Rückfahrt in zwei Gruppen auf. Die einen fahren mit dem alten Lieferwagen, die andern mit dem kleinen Bus.

Zuerst bringen wir Ayanda nach Hause. Andys Vater erklärt Ayandas erschrockener Mutter, was geschehen ist und welche schmerzstillenden Medikamente er mitbekommen hat. Danach fahren wir noch gut zwei Stunden über Land, bis wir alle direkt vor ihrer Tür abgesetzt haben. Schließlich bezahlt der Sportminister das Fahrgeld, da gönnen wir uns diesen ungewohnten Luxus.

Als Nomtha und ich vor unserer Hütte aussteigen, beginnt es bereits, dunkel zu werden.

»*Sobonana ngoMvulo* – wir sehen uns am Montag!«, ruft Sipho und winkt. Er hat darauf bestanden, mit Jabu als Letzter im Minibus zu bleiben. Wir winken zurück, nicht ahnend, dass wir uns bereits in wenigen Stunden wiedersehen werden…

Das zweite Ereignis, das unser Leben verändern wird, steht unmittelbar bevor. Zunächst ist noch alles wie immer. Unsere Hütte ist abgeschlossen. Wie so oft hockt Onkel Luthando wahrscheinlich auch heute noch mit irgendwelchen Saufkumpanen zusammen und wird erst spät kommen, wenn wir schon schlafen. Ich bin sicher, dass er keine Ahnung hat, wo wir heute waren und was wir erlebt haben.

Nomtha schließt auf, und nachdem wir Tür und Fenster weit geöffnet haben, lassen wir uns erschöpft auf die Matte fallen. Während es in Umtata eher kühl war, herrscht hier eine drückende Gewitterluft. In der Ferne ist ein erstes Wetterleuchten am Abendhimmel zu erkennen, aber noch kein Donner zu hören. Wir sind zu müde, um uns noch etwas zu essen zu machen, und trinken beide nur mehrere Becher Wasser.

»Ob es ein Unwetter gibt?«, fragt Nomtha und schaut aus dem Fenster.

»Vielleicht haben wir Glück und es zieht vorbei«, antworte ich und ziehe meine Sachen aus. Erst jetzt merke ich, wie sehr mir nach dem heutigen Spiel die meisten Knochen und Muskeln wehtun. Aber es macht mir nichts aus. Wegen der Schwüle behalte ich nur eine Unterhose an und strecke mich erneut auf der Matte aus. Wenig später hat auch Nomtha ihr dünnes Nachthemd an und legt sich neben mich, ohne sich zuzudecken. Eine Weile reden wir noch über die tollsten Momente des heutigen Tages. Irgendwann beginnt draußen ein kräftiger Regen auf unser Dach zu trommeln,

Blitz und Donner bleiben jedoch weiter aus. Wer von uns zuerst einschläft, bekomme ich nicht mit.

Mitten in der Nacht jedoch wache ich plötzlich auf. Zuerst denke ich, dass mich das Unwetter geweckt hat, das im Lauf der Nacht mit Sturm und nun auch Donnergrollen näher gekommen sein muss. Der Regen pladdert aufs Dach und unser Fensterrahmen klappt hilflos im Wind hin und her. Dann fällt mein Blick auf Nomtha – und voller Entsetzen begreife ich erst nach und nach, was meine Augen zwar sehen, was aber mein Gehirn sich weigert, als Realität zu erkennen.

Unmittelbar neben uns kniet Onkel Luthando, offenbar betrunken wie ein Pferd. Sein Oberkörper wankt hin und her. Mit der linken Hand hat er die Decke von Nomthas Oberkörper gezogen und ist gerade dabei, ihr Nachthemd hochzustreifen. Seine rechte Hand steckt in seiner geöffneten Hose und bewegt sich rhythmisch auf und ab. All das nehme ich im Bruchteil einer Sekunde wahr, aber ich brauche unendlich lange, wie mir scheint, um es auch zu begreifen. Endlich kann ich mich aus meiner Schreckstarre lösen. Mit einem unartikulierten Schrei springe ich auf und stoße Luthando mit all meiner Kraft von Nomtha weg und der Länge nach zu Boden.

Er schüttelt verwundert den Kopf und knickt beim ersten Versuch, sich zu erheben, um. In diesem Augenblick richtet sich Nomtha erschrocken im Bett auf und streift wie in einem Reflex sogleich ihr Nachthemd über ihre eben noch entblößten Brüste.

»Mein Gott, Themba!«, ruft sie erschrocken, noch immer nicht die ganze Situation erfassend.

Ich ziehe sie hoch, drücke ihr eine Hose und eine Bluse in die Hand und dränge sie zur Tür, bevor Onkel Luthando wieder bei Sinnen ist und ihr den Weg versperren könnte.

»*Baleka* – lauf, Nomtha!«, schreie ich sie an. »Lauf zu Sipho und warte dort, bis ich nachkomme!«

Ich weiß nicht, warum ich sie nicht zu Mama Zanele oder Tatomkhulu schicke oder warum sie sich nicht selbst entschließt, dorthin zu laufen, da die doch viel näher sind. Es hat wahrscheinlich mit dem Ungeheuerlichen zu tun, der sexuellen Erregung dieses Schweins von einem Onkel, etwas, für das ich keine Worte habe und das ich also auch keinem würde erklären können. Sipho ist der einzige Mensch, bei dem ich weiß, dass ich nichts erklären muss.

Nomtha bewegt sich nicht von der Stelle, aber ich befehle ihr mit der ganzen Autorität des älteren Bruders, die ich in diesem entsetzlichen Moment aufzubringen vermag, die Hütte zu verlassen. Und wahrscheinlich steht sie anfangs selbst noch so unter Schock, dass sie allein deshalb gehorcht.

Kaum ist sie draußen, knalle ich die Tür von innen zu, drehe den Schlüssel herum und werfe ihn in eine dunkle Ecke, um dem Onkel jede unmittelbare Verfolgung Nomthas unmöglich zu machen. Ein schwerer Fehler, wie mir nur wenig später klar wird. Denn selbst in seinem Suff ist Onkel Luthando mir körperlich überlegen, und Augenblicke später wünsche ich mir nichts sehnlicher, als mich auch aus dem Staub zu machen.

In dem Moment, als ich mich an der Tür wieder zu ihm umdrehe, hat sich Onkel Luthando bereits erhoben und steht nun schwer atmend unmittelbar vor mir. Seine Augen fixieren mich mit unendlicher Wut. In aller Ruhe schließt er zunächst seinen Hosenschlitz und wankt dann einen weiteren Schritt auf mich zu, sodass er mir seinen nach Schnaps stinkenden Atem genau ins Gesicht stößt.

»Ich bring dich um!«, keucht er und holt zum ersten Faustschlag aus.

Ich bin vorbereitet und es gelingt mir wegzutauchen. Verzweifelt schaue ich mich nach dem Feuerhaken oder einem anderen schweren Gegenstand um – nichts in Reichweite. Als ich mich gerade aufrichten will, um zu sehen, was er als Nächstes tut, trifft mich ein zweiter Schlag in den Nacken und lässt mich kurz zu Boden gehen. Ich springe sofort wieder auf und schlage wahllos zweimal in Richtung seines Gesichts. Ein Treffer landet auf seiner Nase, die sofort zu bluten beginnt. Wie ein angestochener Stier schlägt er mir nun mit der flachen Hand von links ins Gesicht. Ich verliere erneut das Gleichgewicht und knalle beim Hinfallen mit dem Kopf auf Mutters Stuhl. Auch mir läuft nun Blut von der Stirn.

In der Nähe zuckt ein Blitz und für den Bruchteil einer Sekunde sehe ich die Fratze des Onkels auf mich zukommen. Das grelle Licht lässt die Farbe seines Blutes in schrillem Rot aufleuchten. Dann spüre ich plötzlich, wie er mit beiden Händen meinen Hals umklammert…

Mit aller Kraft versuche ich, mich seinem Griff zu entwinden, aber er hält mich wie im Schraubstock. Nicht mal mehr schreien kann ich, denn ich kriege keine Luft mehr. Ich trete um mich, um ihn loszuwerden, aber da wird mir plötzlich schwarz vor Augen. Der Gestank seines Atems lässt nach und ebenso der Schmerz an meinem Hals, ich sehe nur noch ein rotes Leuchten, blutrot, sonst nichts mehr, bis alles um mich herum schwarz wird und still…

Ukusaba

Die Flucht

Das Erste, was ich spüre, als ich wieder zu mir komme, ist ein stechender Schmerz am Kopf und ein Brechreiz im Hals. Ich liege auf dem Bauch in einer seltsamen Position, beide Beine halb über die Kante der Schlafmatte hinausragend. Es ist stockdunkel im Raum, noch immer prasselt draußen der Regen auf unser Strohdach, aber das Gewitter scheint inzwischen weitergezogen zu sein. Wie lange war ich bewusstlos? Fünfzehn Minuten, eine halbe Stunde?

Erst allmählich kommt die Erinnerung zurück. Vorsichtig drehe ich meinen Kopf, um zu sehen, wo Onkel Luthando ist. Erneut ein Stich durch den Schädel. Aber meine Augen haben sich jetzt genug an das Dunkel gewöhnt, um die massigen Umrisse seines entblößten Oberkörpers auf Mutters Bett zu erkennen. Ein Laken hat er sich bis knapp unter den Bauchnabel gezogen. Er liegt auf dem Rücken und scheint zu schlafen, obwohl keine Schnarchgeräusche aus seinem offenen Mund zu vernehmen sind.

Als ich mich vorsichtig mit einem Arm abstütze und erneut meinen Kopf aufrichte, nehme ich noch einen anderen Schmerz wahr, der von meinem Unterleib herkommt, den ich aber zunächst nicht sicher lokalisieren kann. Erst jetzt bemerke ich, dass ich meine Unterhose nicht mehr anhabe. Suchend taste ich neben der Matte auf dem Boden danach und halte plötzlich einen Stofffetzen der Hose zwischen den

Fingern, kaum größer als meine Handfläche. Was, um Himmels willen, ist geschehen?

Ich lasse mich langsam zur Seite rollen und versuche, mich aufzusetzen. Jetzt spüre ich einen Schmerz, der eindeutig von meinem Hintern kommt und so heftig ist, dass ich mich sofort zurückfallen lasse. Zaghaft und mit zitternden Fingern fühle ich nach und fasse in eine eigenartige Feuchtigkeit, kein Blut, kein Schweiß... das ist... mein Gott...

Mit einem Schlag ist mir klar, was geschehen ist. Die Flüssigkeit, die ich fühle, ist dünn gewordenes Sperma, aber eindeutig nicht meines. Das hier kann nur von diesem elenden Luthando stammen, der sich nicht schämt, sich von uns Onkel nennen zu lassen. Er hat mich missbraucht, er hat mich vergewaltigt, er hat mich, Themba, fünfzehn Jahre, wie ein Mädchen genommen, nur von hinten, als ich keine Chance mehr hatte, mich zu wehren. Mein Herz rast so wild, dass ich fürchte, mir könnte abermals schwarz vor Augen werden.

Obwohl es verdammt wehtut, zwinge ich mich aufzustehen und bin erleichtert, dass meine Beine mich tragen, wenn auch etwas zitternd. Mit steifen Schritten gehe ich zur Feuerstelle und nehme den eisernen Haken, der vorhin während unseres ungleichen Zweikampfs außer Reichweite war. Ich fühle das kühle Metall in meiner warmen Hand. Der Haken ist schwer, massives Gusseisen, die Oberkante mit scharfen Zinken besetzt.

Noch zwei Schritte und ich stehe unmittelbar vor diesem widerwärtigen Kerl. Seine Gesichtszüge sind völlig entspannt, sein Mundwinkel zuckt ein wenig, als würde er etwas träumen, das ihn zum Schmunzeln bringt. Der breite, leicht behaarte Brustkasten hebt und senkt sich von seinem tiefen, gleichmäßigen Atem. Ob er sich morgen überhaupt noch an

Einzelheiten dieser Nacht erinnern wird? Wie kann er mir jemals wieder ins Gesicht schauen?

Er wird sich nicht erinnern, weiß ich plötzlich mit einer so noch nie empfundenen Bitterkeit. Und er wird mir niemals mehr ins Gesicht sehen... Ich trete etwas zurück, um weit ausholen zu können, und hebe den Haken. Ein Schlag auf seinen Schädel, genau über den Augen, wird genügen. Nie mehr wird er sich an etwas erinnern, nie mehr will ich ihn sehen in meinem und Nomthas Leben. Jetzt habe ich den Haken bis über meinen Kopf erhoben und...

Auf meiner Stirn hat sich Schweiß gebildet. Ich spüre, wie die ersten Perlen herunterzulaufen beginnen, erst noch von meinen Augenbrauen aufgehalten werden, dann aber bis in die Augen rinnen und ein leichtes Brennen verursachen. Mit der freien linken Hand wische ich mir einmal über die Augen. Noch immer hält meine andere Hand den Haken erhoben, äußerlich ruhig und fest entschlossen.

Und dann ist plötzlich alles vorbei – die Mordlust, der gewaltige Rachedurst. Vorbei. Mein Hass verwandelt sich im Bruchteil einer Sekunde in maßlosen Abscheu und Ekel. Gerade kann ich mich noch abwenden, als mein Magen auch schon eine brodelnd stinkende Masse herausschleudert, die sonst auf seinem Kopf gelandet wäre. Ich kotze neben das Bett, stütze mich dabei auf den Haken, denn nach dem ersten Mal kommt noch eine zweite Ladung, dann nur noch ein Würgen. Endlich muss mein Magen völlig leer sein.

Als hätte ich nicht nur schlecht verdautes Essen hinausbefördert, sondern gleichzeitig meine Seele von einem Übermaß an Ekel gereinigt, kehrt mein Vermögen, klar zu denken, erst nun langsam zurück.

Es hat keinen Sinn, zum Mörder zu werden, sich wegen so einem Kotzbrocken das eigene Leben zu versauen. Jetzt muss ich nur eines tun: Ich muss zu Nomtha und mit ihr zusammen weg von diesem Ort, der seit dem Tag, an dem Mutter uns verließ, nicht mehr unser Zuhause ist. Luthando, dieser verkommene Drecksack, wird eines Tages seine Strafe erhalten. Irgendwann werde ich stark und klug genug sein, um dafür zu sorgen. Keine Ahnung, woher ich auf einmal diese innere Gewissheit habe. Ich habe sie einfach. So als wäre ich mit einem Schlag erwachsen geworden. Ein Mann… nicht ein armer, missbrauchter Junge. Ein Mann.

Die Schmerzen akzeptiere ich, als wären sie Teil meiner *ulwaluko* – meiner Initiation vom Jungen zum Mann, die ich erst später mit der rituellen Beschneidung erleben werde. Dann werde ich es im Beisein gleichaltriger Jungen laut rufen. Jetzt flüstere ich es nur, dennoch erfüllt es meinen gesamten nackten Körper vom Kopf bis in die Finger- und Zehenspitzen hinein: »*Ndiyindoda… ndiyindoda…* – ein Mann… ich bin ein Mann!«

Das ist das eine. Von dem anderen, von der Schande dieser Nacht, werde ich niemandem erzählen. Niemandem. Niemals.

Mit Umsicht und beinah unwirklicher Ruhe entzünde ich zuerst eine Kerze, wasche mich dann und suche mir frische Kleidung heraus sowie zwei Jutesäcke, in die ich nach sorgfältigem Abwägen alles einpacke, von dem ich denke, dass Nomtha und ich es in den nächsten Wochen brauchen werden. In Nomthas Sack stecke ich außerdem einige Dinge, die nicht unbedingt nötig sind, aber an denen ihr Herz hängt: eine kleine Blumenvase aus blauem Glas, die sie von Mutter zum zehnten Geburtstag bekommen hat, und eine CD von Brenda Fassie. Auf die CD ist sie besonders stolz, obwohl wir nie einen CD-Player besessen haben. Es gibt keinen Grund zur Eile. Luthando wird bis lange in den Morgen hinein schlafen und uns auch tagsüber nicht vermissen.

Und Nomtha und ich werden nur zusammen mit Mutter jemals hierher zurückkehren – oder gar nicht.

Zuletzt löse ich vorsichtig die beiden 200-Rand-Scheine aus dem Versteck im Holzpfosten hinter unseren Matten, wo Nomtha und ich damals das Geld aus dem Briefumschlag gebunkert haben, für den Notfall. Dieser Notfall ist heute Nacht eingetreten.

Auf einen Zettel schreibe ich eine Nachricht für Großvater: »Tatomkhulu – mach dir keine Sorgen. Heute Nacht gehen Nomtha und ich weg von hier. Wir wollen versuchen, Mutter zu finden und mit ihr heimzukehren. Gott schütze dich.« Dann falte ich das Papier so zusammen, dass ich am Ende unseren Hausschlüssel darin verbergen kann, nachdem ich zuvor in der dunklen Ecke, in die ich ihn geworfen hatte, eine ganze Weile suchen musste.

Als ich die Tür öffne, stelle ich fest, dass der Regen aufgehört und selbst der Sturm nachgelassen hat. Auf der anderen Seite des Hügels, in der Nähe von Mama Zaneles Hütte, streiten sich zwei Rebhühner mit viel Geschrei, obwohl es noch lange vor Morgengrauen sein muss. Ich atme die frische Nachtluft gierig ein und lasse die Tür hinter mir zufallen, ohne mich noch einmal umzudrehen. Dann schultere ich die beiden Jutesäcke und gehe ohne Eile den vertrauten Weg hinunter zum Fluss. Das nasse Gras fühlt sich gut an unter meinen bloßen Füßen. Es ist nur ein kleiner Umweg zu Großvaters Hütte, wo ich den Schlüssel mit der Nachricht unter einen flachen Stein direkt vor den Eingang lege, ohne bei ihm anzuklopfen. Die Schmerzen in meinem Körper scheinen nachzulassen, je weiter ich mich von unserem alten Zuhause entferne.

Noch bevor ich bei Sipho angekommen bin, sehe ich vom Fuße seines Hügels, dass in seiner Hütte schummriges Licht brennt. Ohne unnötige Geräusche zu verursachen, laufe ich den kleinen Pfad hinauf und schaue erst durch das seitwärts liegende kleine Fenster, um zu sehen, wer überhaupt noch wach ist. Sipho liegt neben Jabu in einem Bett gleich unter dem Fenster, die beiden kleineren Geschwister schlafen auf einer Decke auf dem Boden daneben – und Nomtha? Nomtha sitzt kerzengerade auf dem Rand des großen Bettes. Sie hat mir den Rücken zugewandt und schaut zur Tür, als lausche sie mit aller Konzentration in die Nacht hinaus.

So leise wie möglich rufe ich ihren Namen: »Nomtha!«

Augenblicklich fährt sie herum und sieht, wie ich ihr mit einem Finger auf dem Mund andeute, dass sie leise sein soll.

Dann fliegen wir auch schon beide zur Tür, die sie von innen entriegelt, und fallen einander in die Arme. Wir halten uns fest wie zwei Geliebte, die gegen ihren Willen zu lange voneinander getrennt waren. Diesmal bin ich es, der sie auf den Mund küsst. Sie erwidert meinen Kuss zaghaft, aber voller Wärme. Erst dann entdeckt sie die Platzwunde seitlich an meinem Kopf und ruft erschrocken: »Was hat er dir getan, Themba?«

Ich lege meinen Finger auf ihre Lippen: »Pssst, nicht so laut!«

Wir drehen uns beide um zu Sipho und Jabu. Einer von beiden hat etwas im Schlaf gebrabbelt und sich umgedreht. Aufgewacht ist niemand.

Ich flüstere Nomtha zu: »Luthando wird uns nie mehr etwas tun.« Nomtha merkt, dass ich ihn nicht mehr Onkel nenne, aber sie bohrt nicht nach.

»Ich bin so froh, dass du endlich hier bist!«, flüstert sie zurück und zieht mich erst jetzt samt den beiden Jutesäcken in die Hütte hinein. Dann verriegelt sie die Tür wieder leise von innen.

»Sipho hat gesagt, dass wir im Bett seiner Mutter schlafen sollen, aber ich möchte lieber auf einer Decke daneben liegen«, sagt Nomtha und beginnt, uns ein Lager auf der Erde zu bereiten. »Wusstest du«, fährt sie dabei fort, ohne mich anzusehen, »dass seine Mutter schon vor ein paar Monaten an AIDS gestorben ist?«

»Ja«, antworte ich leise und hoffe, dass sie es mir nicht übel nimmt, dass ich ihr Siphos Geheimnis vorenthalten habe.

Als wir schon die Kerze gelöscht haben und, in die Decke gewickelt, nebeneinander liegen, flüstere ich ihr noch ins Ohr: »Nomtha, morgen fahren wir nach iKapa ... zu Mutter ... morgen.«

Sie streicht mit ihren Fingern vorsichtig über die inzwischen blutverkrustete geschwollene Stelle an meinem Kopf und entgegnet genauso leise: »Ja ...« Nur dieses eine Wort. Aber es klingt in meinen Ohren, als hätte sie schon lange auf diese Ankündigung gewartet. Und auch als wollte sie uns beiden versichern: Ja – wir werden Mutter finden! Egal wie weit es bis dorthin ist und egal wie groß diese ferne Stadt am südlichsten Punkt Afrikas auch sein mag.

Als wir am nächsten Morgen erwachen, scheint die Sonne durch die weit offene Tür herein. Zuerst schließe ich angesichts des grellen Lichts sofort wieder die Augen, aber dann stößt mich Nomtha vorsichtig an und sagt freundlich: »Schau doch mal!«

Nach einem Moment der Gewöhnung sehe ich, wie der kleine Jama und die noch kleinere Nosipho unmittelbar vor uns sitzen und fasziniert meinen Kopf mit der geschwollenen Wunde anstarren. Von der Feuerstelle her klingt Siphos fröhliche Stimme: »Nosipho wird bestimmt mal Krankenschwester! Die kann jetzt schon einem Frosch das gebrochene Bein schienen.«

»Echt?«, fragt Nomtha in gespieltem Erstaunen.

Nospiho nickt voller Überzeugung.

Jama ist sehr stolz auf Nosiphos besondere Fähigkeiten: »Heute Morgen hat sie eine verirrte Schlange aus einem Blecheimer befreit!«

Nosipho nickt wieder.

»Schön dumm von dir!«, spottet Jabu. »Wär ein gutes Frühstück gewesen.« Nosipho verzieht ihr kleines Gesicht und wir andern lachen.

Mir ruft Sipho zu: »Hoffentlich hast du dem alten Sack bei euch daheim kräftig auf die besoffene Rübe gehauen, Themba!«

Statt zu antworten, informiere ich ihn über unseren nächtlichen Entschluss: »Nomtha und ich fahren heute mit dem Bus am frühen Abend nach iKapa, unsere Mutter suchen. Ich hab schon alles gepackt.«

Sipho, der für seine Geschwister gerade den *mealie pap* fürs Frühstück zubereitet, hält erschrocken inne und ruft: »Aber Themba, Mann, jetzt haben wir endlich das erste Mal Erfolg mit unserem Verein! Wir brauchen dich ...«

Als ich wieder nicht antworte, sondern ihn nur lange anschaue, sehe ich, wie er zu verstehen beginnt, Sipho, mein bester Freund.

»Ja«, sagt er beinah im gleichen Tonfall wie Nomtha letzte Nacht, »das müsst ihr tun.« Er fragt nicht, ob wir überhaupt eine Anschrift von Mutter haben oder genug Geld für die Bustickets und zum Leben in der großen Stadt. Er akzeptiert es einfach.

Nach dem Frühstück holt er den Ball aus dem Schuppen und beginnt, auf einem Bein zu kicken. Die Wunde an seinem Schienbein vom gestrigen Spiel scheint ihn kaum zu kümmern. Als er mir den Ball zuspielt, trete ich so ungeschickt daneben, dass er merkt, dass ich außer der Wunde am Kopf noch andere Verletzungen haben muss.

»War es so schlimm letzte Nacht?«, fragt er leise.

Ich nicke stumm. Sipho fragt nicht weiter, sondern wirft den Ball einfach zurück in den Schuppen. Wir setzen uns neben unser Fußballtor ins Gras, ich lehne mich mit dem Rücken gegen einen der Pfosten.

»Wenn Jama und Nosipho älter sind, gehe ich auch in eine große Stadt, um Geld zu verdienen«, erklärt Sipho.

»Sobald wir eine Anschrift in iKapa haben, schreibe ich dir«, verspreche ich ihm.

»Mit dem ersten Geld, das ich sparen kann, werde ich eine richtige Beerdigung für Mutter bezahlen«, versichert er mir.

»Denkst du, dass du es wirklich noch so lange geheim halten kannst?«, frage ich spontan. Im nächsten Augenblick würde ich mir dafür am liebsten die Zunge abbeißen. Das ist allein seine Sache, die mich nichts angeht. Genauso wie er mich respektiert, wenn ich über etwas nicht reden will.

Zu meiner Überraschung geht er jedoch auf meine Frage ein und antwortet mit besorgtem Gesicht: »Ich weiß, Mann, ich weiß...« Und nach einem kurzen Zögern: »Wie gut kennst du eigentlich Mama Zanele?«

»Sie ist unsere Nachbarin«, entgegne ich ausweichend. »Sie ist okay, glaube ich.« Aber mir ist klar, dass er auf etwas Bestimmtes hinauswill.

»Ihre Tochter, hast du gesagt, ist auch an AIDS gestorben, nicht?«

Ich nicke.

»Und sie redet darüber, ohne sich zu schämen?«

»Ja.« Ich nicke wieder. »Das hat sie getan. Auch Andy und seine Mutter haben es gehört.«

Er rückt noch etwas näher und fragt leise: »Würdest du mitkommen, wenn ich mit ihr sprechen will?«

»Klar, Mann!« Ich klopfe ihm auf die Schulter und springe

auf. »Aber dann jetzt gleich, sonst verpassen Nomtha und ich nachher noch den Bus.«

Nomtha bleibt bei Siphos Geschwistern, und nur Jabu begleitet uns beide auf dem gleichen Pfad, den ich in der Nacht zuvor mit den Jutesäcken gelaufen bin. Es ist jetzt Mittag und direkt über uns brennt die Sonne von einem wolkenlosen Himmel. Trotzdem laufen wir weiter im gleichen Tempo: Sipho und ich beinah im Gleichschritt, Jabu mit seinen kürzeren Beinen manchmal in leichtem Dauerlauf, um mitzuhalten.

Als wir uns dem Haus von Mama Zanele nähern, werfe ich einen Blick auf den Hügel gegenüber, wo unsere Hütte steht. Die Tür ist verschlossen und Luthando schläft vermutlich noch immer seinen Rausch aus.

Wir haben Glück – aus Mama Zaneles Hütte klingt der Singsang ihrer tiefen Stimme. Sie summt ein Kinderlied über den Regen und scheint uns nicht zu bemerken.

»*Molo*, Mama Zanele, *kunjani*?«, rufe ich eine höfliche Begrüßung durch die angelehnte Tür.

Das Summen bricht ab, und sie ruft von drinnen, als hätte sie unser Kommen erwartet: »*Ngenani, bantwana* – kommt herein, Kinder!«

Drinnen sehe ich Mama Zanele in der Mitte der Hütte vor einer brennenden Kerze sitzen. Die Kerze steht auf einem bunt gewebten Tuch, drum herum liegen mehrere Knochenstücke verstreut. Vor dem Fenster hängt ein dunkler Stoff, der den Raum in ein seltsames Dämmerlicht taucht. Mama Zanele scheint in die Deutung der Knochen vertieft zu sein und schaut nicht auf, spricht aber mit klarer Stimme zu uns: »Dein Onkel ist nicht gut, Themba.«

Ich erschrecke. Hat sie irgendwas mitbekommen letzte Nacht? Ich schweige. Sie scheint auch gar keine Antwort zu erwarten, sondern bewegt ihre flache Hand nur weiter vorsichtig tastend über die Knochenteile, bevor sie fortfährt: »Deine Mutter wartet auf dich, mein Junge …«

Jetzt kann ich mich nicht mehr zurückhalten. »Wirklich, Mama Zanele?«, rufe ich ein bisschen zu laut.

Da blickt sie zum ersten Mal auf und mustert uns drei, die wir noch immer artig am Eingang stehen.

»Es ist nämlich so«, fahre ich hastig fort, »dass Nomtha und ich heute Abend zu Mutter nach iKapa fahren.« Bevor sie mich unterbrechen kann, schiebe ich meinen Freund und seinen jüngeren Bruder vor und sage: »Das ist Sipho, der Kapitän unserer Fußballmannschaft, und sein Bruder Jabu. Sie möchten mit dir sprechen.«

Mama Zanele macht eine einladende Geste. Zu dritt hocken wir uns ihr gegenüber neben die bunte Decke. Ein Windstoß von der Tür her lässt die Kerze heftig flackern. Sie droht zu erlöschen, richtet sich dann aber umso höher auf. Es ist, als würde es plötzlich heller im Raum.

Sie schaut die beiden Brüder mit einem warmen Lächeln an, drängt sie jedoch nicht, ihr Anliegen vorzubringen. Jabu richtet den Blick auf seinen älteren Bruder. Sipho soll sprechen. Aber er bringt keinen Ton heraus. Liefen nicht plötzlich Tränen über seine Wangen, könnte man denken, er sei versteinert.

Endlich flüstert er etwas, was niemand von uns versteht. Dann erst öffnet er den Mund und stottert: »Ihre Tochter …«

»Ja …«, unterstützt ihn Mama Zanele und nickt, als wüsste sie schon, was Sipho quält.

Es ist zu spüren, wie gern Sipho reden möchte. Wenn es nur nicht so schrecklich wehtäte. Er setzt erneut an und stößt endlich hervor: »Ihre Tochter … die … die ist dort, wo auch unsere Mutter ist …«

Jabu ergreift seine Hand und nun sitzen die beiden Jungen vor Mama Zanele wie zwei kleine Kinder, halten sich gegenseitig fest und können endlich beide weinen. Es ist ein Schluchzen, das erst ganz langsam wie sanftes Zittern aus ihren mageren Körpern aufsteigt und schließlich in ein bebendes Weinen übergeht, immer lauter wird und sie beide hin- und herschüttelt und vermutlich umwerfen würde, wenn sie sich nicht aneinander festhalten würden.

Erst als ihr Weinkrampf langsam verebbt und schließlich nur noch ein leichtes Zittern von ihrem inneren Aufruhr zeugt, zieht Mama Zanele die beiden links und rechts zu sich und legt ihnen jeweils einen ihrer großen, weichen Arme um die Schultern. »Ich werde euch helfen, eure Mutter zu beerdigen.« Und als Sipho sie aus seinem tränenverschmierten Gesicht anschaut, ergänzt sie: »Und niemand wird euch aus eurer Hütte verjagen!«

Keiner von uns hat, seit wir angekommen sind, auf die Zeit geachtet. Als mein Blick auf einen alten Wecker fällt, der neben Mama Zaneles Bett steht, erschrecke ich, wie spät es schon ist. Ich springe auf und schaue zur Tür hinaus. Tatsächlich: Die Sonne ist bereits im Sinken begriffen, und die Schatten lassen erkennen, dass es früher Nachmittag ist.

»Ich muss zurück zu Nomtha«, sage ich entschuldigend und bleibe bei der Tür stehen.

Mama Zanele klatscht in die Hände: »Natürlich müsst ihr jetzt los.« Dann hält sie doch noch einmal inne und sucht sorgfältig zwei Knochenstücke für Sipho und Jabu heraus. »Tragt die bei euch, bis wir uns wiedersehen«, erklärt sie den beiden.

Schließlich pustet Mama Zanele die Kerze aus und erhebt sich schwerfällig. Sie lässt uns nicht ohne Umarmung ziehen, aber als wir schon gut zehn Meter winkend den Pfad hinuntergelaufen sind, ruft sie mich noch einmal zurück: »*Yiza*, Themba ... Themba ... wie konnte ich das vergessen?«

Sie verschwindet kurz im Haus und kommt dann mit einem kleinen Zettel zurück, den sie mir in die Hand drückt: »Vor ein paar Tagen rief meine Freundin an und sagte, dass es nur ein Township gut dreißig Kilometer südlich von Kapstadt und dicht am Meer gibt. Ob eure Mutter da noch immer ist, konnte sie nicht sagen, aber auf jeden Fall hat sie dort eine Weile gewohnt.«

Ich falte den Zettel in ihrem Beisein auseinander und lese das lange Wort, langsam buchstabierend: »Masiphumelele ... Ist das der Name des Townships?«

»*Ewe* – ja«, bestätigt Mama Zanele.

Masiphumelele bedeutet: Wir werden es schaffen! Vielleicht ist das ein gutes Omen.

Wir winken ein letztes Mal und laufen dann, so schnell wir können, zurück zu Siphos Hütte, wo Nomtha bereits ungeduldig wartet.

Jabu ist völlig außer Puste und wird bei den Kleinen bleiben, während es sich Sipho nicht nehmen lässt, Nomthas Jutesack zu tragen und uns bis zur Haltestelle der Minibusse zu bringen, derselben, von der auch Mutter damals aufgebrochen ist.

Wie an jenem Tag stehen wir auch heute in den letzten Minuten vor der Abfahrt nervös und innerlich angespannt beieinander. Sipho verspricht, alle Lion Strikers morgen beim Training zu informieren.

»Grüße besonders Ayanda und Andy und seinen Vater!«, sage ich mit heiserer Stimme.

»Ich grüße jeden von dir!«, antwortet Sipho.

Da kommt der Ruf zum Einsteigen und die Schiebetür knallt zu. Die Fensterscheibe ist so verschmiert, dass wir von Sipho nur noch die groben Umrisse erkennen können.

»Er winkt!«, ruft Nomtha und bewegt ihre Hand trotz

der Enge zwischen den vielen anderen Fahrgästen, die steif neben uns sitzen, wild hin und her.

Ich schaue nur stumm durch das dreckige Glas. Ganz bestimmt werde ich Sipho schreiben.

Endleleni

Unterwegs

Noch nie zuvor bin ich eine ganze Nacht lang im Bus gefahren. Im Dunkeln ist draußen fast nichts zu sehen, dennoch schlafe ich kaum und versuche, die großen blauen Hinweisschilder am Straßenrand zu entziffern, die immer nur für wenige Sekunden im Scheinwerferlicht unseres Busses aufleuchten. Die Namen der Städte sind meist in Englisch angegeben: East London, Port Elisabeth, George, Riversdale und schließlich immer nur noch Cape Town… iKapa, wo Mutter ist und noch keine Ahnung hat, dass wir auf dem Weg zu ihr sind.

Nomtha ist schon kurz nach der Abfahrt in Umtata in Schlaf gefallen, und wann immer sie in der Nacht von selbst aufwacht oder durch ein besonders starkes Rumpeln des Busses aus dem Schlaf gerissen wird, fragt sie mit halb geschlossenen Augen: »Wie weit ist es noch, Themba?«

Aber bevor ich mit ausführlichen Erklärungen über die letzten Straßenschilder beginnen kann, hat sie sich schon wieder auf dem Sitz neben mir zusammengekauert und ist erneut eingeschlafen.

Gut, dass ich eine große Wasserflasche und eine Tüte mit Obst mitgenommen habe, sodass wir unterwegs nichts zu kaufen brauchen. An den wenigen Raststätten, bei denen wir halten, damit Fahrgäste die Toiletten benutzen und etwas zu essen und zu trinken kaufen können, registriere ich erschrocken, wie viel teurer hier alles ist, als ich es von daheim gewohnt bin. Allein die Busfahrkarten haben schon mehr als die Hälfte unseres Geldes aufgefressen. Ich bin entschlossen, den Rest zusammenzuhalten, damit wir, wenn wir einmal in iKapa angekommen sind, noch genug haben, um die ersten ein, zwei Tage über die Runden zu kommen. Außerdem müssen wir ja auch noch die Fahrt zu jenem Township im Süden am Meer bezahlen.

Erst am frühen Morgen muss ich endlich auch selbst eingeschlafen sein. Jedenfalls schrecke ich hoch, als der Busfahrer per Lautsprecheransage informiert, dass wir in gut einer Stunde am Busbahnhof im Zentrum von Kapstadt ankommen werden. Als ich die Augen aufmache, ist bereits die Sonne aufgegangen und hat alles in goldenes Licht getaucht. Der Bus rollt aus einem hohen Gebirge in lang gestreckten Serpentinen hinunter in ein weites Tal, das sich am anderen Ende zum Meer hin öffnet. Von hier oben sind die ersten Vororte und Randbezirke von iKapa gut zu erkennen. Was für eine riesige Stadt! So weit das Auge reicht, nur Straßen und Häuser, die immer größer und vornehmer werden, je näher wir der Innenstadt kommen.

Aufgeregt rüttle ich an Nomthas Arm: »*Jonga* – schau mal: der Tafelberg!«

Sie räkelt sich mit steifen Gliedern und nimmt erst einen langen Schluck aus unserer Wasserflasche, bevor sie die Augen richtig aufmacht. Vor uns am Horizont ist deutlich der große abgeflachte Berg zu erkennen, der aussieht, als hätte ein Riese in tausend Meter Höhe den gesamten Berggipfel abgetrennt und dann noch einmal mit der flachen Hand obendrauf geklopft. Unser Geschichtslehrer hat uns einmal erzählt, dass der Tafelberg seit Jahrhunderten das Erste ist, was Seefahrer vom Meer aus von der Stadt erkennen können. Dann wissen sie, dass sie an der Südspitze Afrikas angelangt sind.

Und da taucht unser Bus auch schon ein in den dichten mehrspurigen Autoverkehr im Zentrum von iKapa. Jetzt ist auch Nomtha hellwach. Alles fährt, rollt, schiebt, hupt, klingelt, läuft und rennt hier durcheinander, jeder verfolgt ein anderes Ziel, und dass es nicht ununterbrochen knallt, kommt mir wie ein Wunder vor. Einige Häuser sind so hoch, dass man die Dächer nicht erkennen kann, selbst wenn man die Nase an die Scheibe drückt und Kopf und Augen zum Himmel richtet.

Plötzlich nimmt unser Bus eine letzte scharfe Kurve und fährt in einen riesigen Bahnhof ein, in dem viele andere Busse geparkt sind. Ein letztes Zischen der Hydraulikbremsen, dann gehen alle Türen auf, und die Leute um uns herum, die bis eben noch erschöpft von der langen Fahrt in ihren Sitzen hingen, springen auf und drängen zum Ausgang, als wäre im Bus ein Feuer ausgebrochen. Ich achte nur darauf, dass niemand unsere beiden Jutesäcke beschädigt oder gar aus der Ablage über unseren Köpfen zerrt, und bleibe mit Nomtha ruhig sitzen.

Wir klettern als Letzte vorne aus dem Bus.

Der Fahrer schiebt sein Fenster auf und nickt uns zu. »Passt mal gut auf eure Klamotten auf, hier am Bahnhof gibt's jede Menge Ganoven!« Dann zündet er sich eine Zigarette an und schaut in die andere Richtung.

Als Erstes stelle ich fest, dass hier kaum jemand barfuß geht wie ich. Ich bin froh, dass Nomthas schwarze Schuhe, die Mutter ihr kurz vor ihrer Abreise gekauft hat, noch fast wie neu aussehen.

Wie finden wir jetzt heraus, wo jenes Township im Süden der Stadt ist? Ich klopfe noch mal an die Scheibe, hinter der unser Busfahrer sitzt, und rufe: »Kennen Sie sich hier aus?«

Es ist ihm anzusehen, dass er müde ist und am liebsten nicht mehr gestört werden will. Er dreht sich nur kurz um, antwortet aber immerhin: »*Hayi, andazi*… – nein, keine Ahnung. Aber geht mal da rüber zum Bahnhof, von wo die Züge fahren. In der Wartehalle gibt es einen Informationsschalter.«

Ich will mich gerade bedanken, da hat er seine Scheibe schon zugeschoben und den Blick wieder abgewandt. Nomtha und ich schultern unsere Säcke. Langsam gehen wir in Richtung der Bahnhofshalle, auf die der Fahrer gezeigt hat. Am Eingang der großen Halle kommen zwei Jungen auf uns zu, die ebenfalls barfuß sind und beide Zigaretten rauchen, obwohl sie sonst eher ärmlich aussehen.

»*Molweni, nivela phi* – wo kommt ihr denn her?«, fragt der Ältere der beiden. Er trägt eine in Höhe der Knie abgeschnittene, ziemlich schmuddelige Jeanshose und darüber ein schwarzes Jackett, dessen viel zu lange Ärmel umgekrempelt sind. Aber er lächelt freundlich und spricht Xhosa in einer Weise aus, wie wir es von zu Hause gewöhnt sind.

»*Sivela eMpuma-Koloni*… aus dem Ostkap«, antworte ich höflich.

»*Nam futhi* – ich auch«, ruft er begeistert und streckt mir die Hand hin.

Gerade als ich meinen Sack absetzen will, um ihm meine Hand zu geben, höre ich Nomtha wütend rufen: »*Suka, suka*… hau ab, Mann!«

Ich drehe mich um und sehe, wie ein dritter Junge von hinten versucht, ihr den Jutesack zu entreißen. Aber Nomtha umklammert ihn zum Glück mit beiden Händen und schreit aus Leibeskräften.

Ich fahre herum und schleudere dem Dieb meinen Jutesack in den Rücken, sodass er in die Knie geht. Trotzdem lässt er Nomthas Sack nicht los. Bevor ich ihn mit meiner freien Hand packen kann, steht plötzlich ein Wachmann mit einem Knüppel neben uns und schlägt dem Jungen mit voller Wucht mehrmals auf den Rücken. Der krümmt sich einen Moment vor Schmerz auf dem Boden, springt aber dann auf und flüchtet in Richtung eines Durchgangs, der zu einem Markt vor dem Bahnhof führt. Ein letzter Stiefeltritt des Wachmanns verfehlt ihn knapp. Bei einem der Marktstände trifft er auf die anderen beiden Jungen, die sich eben noch scheinbar freundlich mit mir unterhalten haben. Aus sicherem Abstand strecken uns alle drei ihren ausgestreckten Mittelfinger entgegen und schreien etwas mir Unverständliches in unsere Richtung.

»*Ootsotsi*... Gangster!«, flucht der uniformierte Mann zurück. Ohne sich weiter um Nomtha und mich zu kümmern, steckt er seinen Gummiknüppel wieder in den Gürtel und setzt seinen Kontrollgang durch die Bahnhofshalle fort.

Zum Glück erspähen wir vom Eingang aus beinah gleichzeitig den Informationsschalter in der Nähe des Ausgangs zu den Gleisen. Ohne unsere Säcke noch einmal abzusetzen, gehen wir direkt dorthin und stellen uns in eine der Warteschlangen davor. Ein paar Minuten später sind wir an der Reihe. Hinter unserem Schalter sitzt eine junge farbige Frau, die uns auf Englisch fragt, womit sie uns helfen kann.

»Kennen Sie das Township Masiphumelele im Süden von Kapstadt?« Zur Sicherheit zeige ich ihr den Zettel von Mama Zanele.

Sie schüttelt ratlos den Kopf, studiert sorgfältig den Zettel, blättert in einem Buch und zuckt erneut die Schultern.

»Es soll ganz in der Nähe vom Meer sein«, ergänzt Nomtha und schaut sie flehend an. Ein älterer Mann hinter uns in der Schlange beginnt, unruhig zu werden, und beschwert sich in einer Sprache, die ich nicht verstehe. Aber die junge Frau verteidigt uns und sagt zu ihm auf Englisch, dass jeder das Recht habe, hier Auskunft zu erhalten. Sie bittet uns, einen Moment zu warten, und zeigt unseren Zettel einer älteren Kollegin am Schalter nebenan. Deren Gesicht erhellt sich augenblicklich und sie macht mehrere Notizen auf einem großen Bogen. Mit diesem Papier kommt die junge Angestellte zu uns zurück und erklärt: »Alles klar. Masiphumelele liegt in der Nähe des Vorortes Fish Hoek. Bis dort könnt ihr mit einer Bimmelbahn fahren und in Fish Hoek müsst ihr einen Minibus nach Masiphumelele nehmen. Die Bahn nach Fish Hoek fährt in einer Viertelstunde von Gleis fünf.«

Wir strahlen sie an, und Nomtha kann in ihrer Freude nicht umhin, ihr zu verraten: »Unsere Mutter wohnt nämlich dort!«

Die junge Frau nickt uns verständnisvoll zu. »Die habt ihr wohl lange nicht gesehen, was?«

Wir lächeln zurück und gehen, nachdem wir die Fahrkarten nach Fish Hoek gekauft haben, zum Gleis fünf. Keine Müdigkeit von der langen Busfahrt, kein Ärger über den versuchten Überfall der drei Straßenjungen ist mehr zu spüren ... bald werden wir bei Mutter sein, in ein paar Stunden, heute noch. Nur das zählt.

Der Vorortzug fährt mit etwas Verspätung in den Bahnhof ein, aber das macht nun auch nichts mehr aus. Sobald die automatischen Türen sich öffnen, steigen wir ein und besetzen zwei Fensterplätze am Anfang des Waggons. Endlich ertönt ein kurzes Signal, die Türen schließen sich wieder und die Bahn zuckelt los. Alle paar Minuten hält sie in einem anderen Bezirk von Kapstadt. Uns fällt auf, wie sich die Hautfarben der Fahrgäste ändern, je nachdem wo der Zug hält. Anfangs wimmeln alle Hautfarben durcheinander, dann sind überwiegend farbige Frauen und Männer im Abteil, dann wieder mehr schwarze. Die meisten haben einfache Arbeitskleidung an, wenige Männer tragen einen Anzug mit weißem Hemd und nur einmal sehen wir eine farbige Dame in einem eleganten Kostüm mit hochhackigen

Schuhen. Nomtha starrt völlig fasziniert auf die glänzenden Schuhe, so lange bis die Frau sie verärgert und mit hochgezogenen Brauen fragt: »Ist was?«

Nomtha schüttelt erschrocken den Kopf. Ich strecke der Frau die Zunge raus und Nomtha lacht erleichtert.

Allmählich werden die Häuser weniger. Mehr und mehr offenes Gelände wechselt sich ab mit kleinen Fabriken und großen Industrieanlagen. Die Sonne ist inzwischen von dunklen Wolken verdeckt, und ein kühler Wind bläst bei jedem Halt herein, wenn sich die Türen öffnen. Schließlich fährt die Bahn eine lange Rechtskurve, und plötzlich sehen wir unmittelbar links von uns das Meer, dessen aufgepeitschte Wellen in nur wenigen Metern Entfernung auf zerklüftete Felsen krachen. Die nächste Viertelstunde fahren wir unmittelbar an der Küste entlang, rechts von uns eine Autostraße, links das Wasser. Bei jedem Halt pressen wir unsere Gesichter gegen die Scheibe, um rechtzeitig die Schilder auf dem Bahnsteig lesen zu können. Schon klatschen erste schwere Regentropfen gegen das Glas. Da geht es erneut in eine Kurve, und Nomtha ruft: »Fish Hoek ... da steht es! Los, schnell! Wir müssen aussteigen!«

Als sich die Türen öffnen, pladdert bereits dichter Regen bis in den Waggon hinein. Mit uns steigen noch andere aus und versuchen hastig, sich mit über den Kopf gehaltenen Tüten und Taschen vor dem Schauer zu schützen. Eine ältere schwarze Frau, ziemlich dick, die genau wie wir viel Gepäck bei sich trägt und nur mit Mühe aus dem Zug klettert, spreche ich an, als wir eine lange Treppe in einer Unterführung hinabsteigen. Ich frage sie nach dem Township.

»*Kulungile* – kein Problem«, entgegnet sie schwer atmend. »Kommt einfach mit mir, ich muss auch dorthin.« Sie schnauft unter der Last zweier Taschen in ihren Händen und eines Rucksacks auf ihrem Rücken. Gleich neben dem kleinen

Bahnhofsgebäude erspähen wir durch den Regen mehrere Minibusse.

Beim Einsteigen sagt der Fahrer: »Drei Rand fünfzig.«

Ich zahle sieben Rand für uns beide und frage ihn, wie lange die Fahrt dauert.

»Nicht lange«, antwortet er. »In fünfzehn Minuten seid ihr dort.«

»In fünfzehn Minuten!«, wiederholt Nomtha und schaut mich beinah ungläubig an. Von dem kurzen Stück Weg sind wir beide klitschnass und Regen tropft aus unseren Haaren. Aber was macht das schon? Nur noch wenige Minuten und wir sind dort, wo Mutter zumindest einige Monate gewesen ist und hoffentlich noch immer wohnt. Sicher wird es dort ein paar Menschen geben, die sie gekannt haben oder kennen und die uns weiterhelfen können.

Auf gut Glück frage ich gleich mal die alte Frau, die ihr Gepäck inzwischen hinten im Minibus verstaut und in einer Sitzreihe hinter uns Platz genommen hat: »*Uxolo* – Verzeihung, kennen Sie vielleicht zufällig Mandisa Matakane? Sie ist vor einigen Monaten im Township angekommen.«

Sie versteht zuerst nicht und ich wiederhole die Frage. Mit einem großen bunten Taschentuch wischt sie sich über ihr rundes Gesicht, dann schüttelt sie den Kopf und antwortet: »Junge, in Masiphumelele wohnen mehr als zwanzigtausend Menschen, vielleicht sogar dreißigtausend. Und viele ziehen beständig hin und her zwischen hier und Mpuma-Koloni. Es ist unmöglich, jeden zu kennen. Es gibt Familien mit dem Namen Matakane, soweit ich weiß, aber ob die Frau dabei ist, kann ich euch wirklich nicht sagen.«

Na, das kann ja heiter werden, denke ich. Zwanzig- oder dreißigtausend Menschen! Das ist, als wollte man in einem Ameisenhaufen nach einer ganz bestimmten Arbeiterin suchen. Aber ich sage nichts, um Nomtha nicht zu entmutigen, und bedanke mich bei der Frau: »Kein Problem, wir finden sie schon.«

Von Fish Hoek können wir wegen des Regens, der an den beschlagenen Busfenstern herunterläuft, nur wenig erkennen. Es scheinen aber überwiegend weiße Leute hier zu wohnen. Ein paar Reklameschilder in den Schaufenstern der Läden in der Hauptstraße sind englisch oder afrikaans beschriftet. Dann sind wir auch schon außerhalb des Ortes, und bevor wir uns groß orientieren können, bremst der Bus erneut und biegt scharf rechts ab. Mit deutlich gedrosseltem Tempo rumpelt er noch ein kurzes Stück über eine holprige Straße, bevor er hält, die Schiebetür auffliegt und alle Fahrgäste hinausdrängen.

»Masiphumelele!« Die alte Frau nickt uns zu, während sie ihren schweren Rucksack schultert. Dann stapft sie davon, ohne sich noch einmal umzudrehen.

Noch immer regnet es, wenn auch nicht mehr so stark wie vorhin am Bahnhof. Dafür weht ein eiskalter Wind, der uns augenblicklich zittern lässt. »Mann, ist das hier kalt!«, sage ich mit zusammengebissenen Zähnen zu Nomtha, die ihre einzige Strickjacke übergestreift und bis oben zugeknöpft hat. Den Jutesack balanciert sie auf dem Kopf, was aber nur wenig Schutz vor dem Regen bietet.

Vor uns liegt eine einzige größere Straße ohne Gehwege, die in das Township hineinführt und deren Asphalt mehr oder weniger große Löcher aufweist, in denen sich jetzt zunehmend das Regenwasser sammelt. Wir haben gar keine andere Wahl, als zunächst dieser Straße zu folgen.

Trotz der Kälte und des Regens laufen überall kleine Kinder barfuß umher. Ab und zu braust ein klappriges Auto in viel zu hohem Tempo an uns vorbei, und wir können meist erst in letzter Sekunde zur Seite springen, um nicht auch noch das Wasser aus den Schlaglöchern abzubekommen. Es gibt nur wenige Steinhäuser hier, die meisten Hütten sind einfache *Shacks*, zusammengebastelt aus allen möglichen Metall- und Holzresten und sonstigen Abfallmaterialien. Mehrere *Shacks* sind um je einen Wasserhahn und ein Toilettenhäuschen gebaut, die sich offensichtlich alle dort wohnenden Familien teilen. Aber immerhin stehen Lampenmasten an der Straße und zu den meisten *Shacks*, selbst den einfachsten Bruchbuden, führen Elektrokabel.

Nachdem wir ein paar hundert Meter der Hauptstraße gefolgt sind, von der auf beiden Seiten mehrere kleinere Wege und Pfade abgehen, sehen wir die ersten größeren Steingebäude. Rechts strömen gerade aus einer riesigen Schule, die sich über mehrere Häuser und einen Sportplatz erstreckt, Mädchen und Jungen unterschiedlichen Alters, die alle die gleiche Uniform aus gelben Hemden und schwarzen Hosen oder Röcken tragen. Einige der Kleineren jagen sich gegenseitig, und die Größeren sind meist in Gespräche vertieft, sodass wir von kaum jemandem bemerkt werden. Nur wenige schauen in unsere Richtung. Es scheint nichts Besonderes zu sein, wenn jemand Neues ins Township kommt.

Nomtha zieht mich am Arm und deutet auf ein anderes Gebäude, links von uns: »Hast du eine Ahnung, was das ist?«

Bis eben waren alle Türen dort geschlossen, jedenfalls die, die wir von hier aus sehen können. Jetzt wird in der Mitte eine Art Hauptportal von innen geöffnet und wir sehen eine Krankenschwester. Sie verabschiedet sich von einer jungen Mutter, die ihr Baby auf dem Rücken trägt. Das kann nur eine Tagesklinik sein, jene Art Krankenhaus in ärmeren Gegenden, wo Patienten nur tagsüber von Schwestern oder Pflegern versorgt werden und meist nur ein- oder zweimal pro Woche ein Arzt vorbeikommt.

Unschlüssig sind wir stehen geblieben. Inzwischen zittern wir beide vor Kälte und Nässe. Wohin sollen wir uns wenden, um etwas über Mutter herauszufinden? Die Schwester ist wieder ins Haus gegangen und hat das Portal hinter sich geschlossen. Die Schule ist näher und hier stehen die Türen noch immer offen, also fassen wir uns ein Herz und gehen zuerst dorthin. Gleich hinter dem Eingang sitzt rechts eine freundliche Frau mit einer Goldbrille hinter einer Art Rezeption und schaut uns fragend an. »*Ndingakwenzela ntoni* – womit kann ich helfen?«

»Wir sind gerade angekommen«, antwortet Nomtha, »und wir suchen unsere Mutter.«

Sie guckt noch immer freundlich, aber wir wissen nicht, was wir als Nächstes sagen sollen. Ich schaue kurz nach unten und sehe, wie sich auf dem blank geputzten Fußboden Wasserpfützen um meine bloßen Füße und Nomthas Schuhe bilden.

»Habt ihr Geschwister hier in der Schule?«, fragt die Frau, die wahrscheinlich die Schulsekretärin ist.

»*Hayi* – nein«, sagt Nomtha. »Wir haben sonst keine Geschwister. Es gibt nur mich und meinen Bruder.«

Ich mache noch einen Versuch, indem ich ihr Mutters Namen nenne, aber auch das hilft nicht weiter.

»Tut mir Leid, ich glaube nicht, dass ich sie kenne«, antwortet die Frau bedauernd. Als wollte sie uns nicht ganz unverrichteter Dinge wegschicken, gibt sie uns einen Rat: »Probiert es doch mal in der Klinik gegenüber. Vielleicht war eure Mutter irgendwann mal krank, dann müssten sie da zumindest eine Karteikarte von ihr haben.«

Als wir hinausgehen, quietschen unsere nassen Füße auf dem Boden, aber die Frau mit der Brille bleibt trotzdem freundlich und winkt uns sogar noch hinterher.

Draußen peitschen uns Regen und Wind erneut ins Gesicht. »Komm schnell«, zische ich Nomtha mit klappernden Zähnen zu. Wir schultern unsere beiden Säcke und laufen in großen Sprüngen, den tieferen Pfützen sorgfältig ausweichend, über die Straße zum Hauptportal der Klinik. Ohne zu zögern, drücken wir die schwere Klinke hinunter, aber die Tür ist verschlossen. Ein Hinweisschild informiert darüber, dass täglich, außer donnerstags, nur am Vormittag Sprechzeiten sind.

»Heute ist Montag, nicht?«, presst Nomtha hervor. Auch ihre Strickjacke ist inzwischen vom Regen durchweicht. Sie versucht, das Zittern zu unterdrücken, aber Hunger, Kälte und die lange Nacht im Bus zehren an ihren Kräften. Ohne zu wissen, ob es Sinn hat, schlage ich zweimal mit beiden Fäusten gegen die Tür. Nichts geschieht. Dann entdeckt Nomtha einen Klingelknopf auf der einen Seite des Portals. Wir drücken den Knopf mehrmals und können durch die stabile Tür in weiter Ferne ein sachtes Läuten hören. Vielleicht ist schon Mittagspause oder die Krankenschwestern haben die Klinik durch einen anderen Ausgang bereits verlassen? Erneut drückt Nomtha die Klingel und hält sie für mehrere Sekunden fest. Was haben wir schon zu verlieren?

Nach einer Ewigkeit hören wir plötzlich doch jemanden von innen mit Schlüsseln hantieren. Endlich wird der passende Schlüssel im Schloss herumgedreht und die eine Seite des Portals einen Spalt geöffnet. Ein Mann im blauen Monteursanzug schaut verärgert heraus und schnauzt uns an, ohne uns auch nur anzuhören: »Könnt ihr nicht lesen? Die Klinik ist für heute geschlossen. Ab morgen früh um sieben Uhr könnt ihr wieder kommen!« Damit knallt er die Tür wieder zu.

Wütend trete ich gegen das Portal. Was wäre, wenn wir nun wirklich einen Notfall hätten melden wollen?

Während ich noch zornig auf die Tür starre, zieht mich Nomtha plötzlich am Arm: »Schau mal, dahinten auf dem Parkplatz geht die Krankenschwester, die wir eben mit der jungen Mutter gesehen haben.« Bevor ich reagieren kann, drückt sie mir ihren Jutesack in den Arm und läuft, so schnell sie kann, zur Ausfahrt des Parkplatzes. Die Schwester ist inzwischen in ein Auto gestiegen. Gerade noch im letzten Moment kann Nomtha den Wagen aufhalten und die Schwester sogar dazu bewegen, ihre Scheibe herunterzukurbeln. Ich kann nicht hören, was sie miteinander sprechen, aber ich sehe, wie die Schwester nach einem längeren Wortwechsel den Motor abstellt und Nomtha mir mit beiden Armen winkt herzukommen.

Inzwischen achte ich schon kaum noch auf die Pfützen. Mit beiden Säcken über den Schultern laufe ich ebenfalls zum Parkplatz. Ich bin jetzt so nass, dass mir der Regen schon gar nichts mehr ausmacht. Als ich bei den beiden ankomme, öffnet die Schwester die hintere Wagentür und bittet uns, zu ihr ins Auto zu steigen.

Kaum sitzen wir, die beiden Säcke auf dem Schoß, ergreift Nomtha aufgeregt meine Hand und starrt wie gebannt die Krankenschwester an, die ich erst jetzt aus der Nähe sehen kann. Sie ist vermutlich nicht viel älter als Mutter. Nun dreht sie sich zu uns beiden um und sagt: »Ich habe vor gut drei oder vier Monaten eine Frau mit dem Namen eurer Mutter behandelt. Es ging ihr nicht gut, aber sie kam nicht zum nächsten Termin.«

Nomtha und ich schauen uns erschrocken an. Was, um Gottes willen, ist mit ihr geschehen?

»Hatte sie einen Unfall?«, fragt Nomtha atemlos. Ungefähr so lange ist es ja auch her, dass wir den Briefumschlag mit Geld von ihr bekamen. Seitdem haben wir nichts mehr von ihr gehört.

»Nein«, antwortet die Schwester, die ihr schwarzes Haar ganz kurz geschnitten hat und zwei moderne Ohrringe trägt. »Es war kein Unfall. Aber die Frau war sehr krank. Und vielleicht erinnere ich mich auch nur deshalb an sie, weil sie immer wieder davon sprach, dass sie daheim einen Sohn und eine Tochter hat, die auf sie warten.«

»Kennen Sie ihre Anschrift?«, bohre ich nach.

»Nicht aus dem Kopf, aber ich kann in unserer Kartei nachschauen«, antwortet sie hilfsbereit. Sie startet den Wagen, rollt in die Parkbucht zurück und geht dann mit uns durch eine Hintertür, für die sie einen Schlüssel besitzt, in die Klinik.

Als uns der Mann im blauen Overall erkennt, will er sofort wieder losschimpfen, aber die Schwester hält ihn zurück: »*Kulungile* – alles in Ordnung, Tsepho! Ich muss nur kurz ins Büro für die beiden.« Uns erklärt sie: »Das ist Mr Tsepho, unser Hausmeister. Ach ja, und ich bin Sister Princess.«

Wir geben ihr und Mr Tsepho die Hand und stellen uns ebenfalls vor. Dann verschwindet sie in einem Raum, vor dessen Tür wir warten müssen, und kommt kurze Zeit später zurück.

»War kein Problem, da ihr ja den vollen Namen hattet. Ob die Anschrift allerdings noch stimmt, weiß ich nicht. Hier, ich habe sie euch aufgeschrieben.«

Sie reicht uns einen kleinen Zettel und wir beugen uns gleichzeitig über das Papier: *Shack* Nr. 8744, Wetlands.

»Ist das hier im Township?«, fragt Nomtha.

»Ja«, antwortet Sister Princess. »Die Wetlands sind ein Gebiet am Rand des Townships, wo es keinen Strom und kein fließendes Wasser gibt. Dort wohnen zumeist die Neuzugänge, die noch keine Freunde oder Verwandte hier haben. Das Problem dort ist vor allem, dass es regelmäßig Überschwemmungen gibt, vor allem jetzt im Winter. Daher kommt auch der Name. Aber dafür kostet es nichts, dort zu wohnen. Jeder baut sich etwas zusammen und niemand kontrolliert es.«

Uns ist das alles egal, wenn wir Mutter nur bald finden. »Wären Sie so nett, uns zu zeigen, wo die Wetlands sind?«, bittet Nomtha.

»Es ist nicht weit von hier. Ich kann dort vorbeifahren, bevor ich zu meinem Nachmittagsdienst ins Kreiskrankenhaus muss.« Sie schaut auf die Uhr. »Wenn wir uns beeilen, schaffe ich es gerade noch.«

Zum ersten Mal ist der Hausmeister nicht mehr unfreundlich, sondern öffnet Sister Princess und uns sogar die Tür und winkt, als wir die Klinik verlassen. Er scheint die Schwester sehr zu mögen.

Sie lächelt zurück und sagt leise zu uns: »So blöd ist der gar nicht.«

In weniger als fünf Minuten haben wir die letzte Asphaltstraße hinter uns gelassen und schlingern nun über einen moddrigen Pfad, bis Sister Princess vorsichtig bremst und uns aussteigen lässt: »Weiter kann ich mit dem Auto nicht fahren, sonst bleibe ich stecken. Die Hütten hier tragen schon Achttausender-Nummern, weit kann es also nicht mehr sein. Klopft einfach irgendwo an und fragt, wo Nummer 8744 ist.«

Wir bedanken uns und blicken ihr nach, wie sie in ihrem kleinen Auto den Pfad zurück zur Asphaltstraße rutscht. Als Erstes zieht Nomtha ihre guten schwarzen Schuhe aus und bindet sie oben auf den Jutesack. Der Modder hier ist nicht einfach nur feuchte Erde, wie wir sie auch bei uns auf dem Land kennen. Es ist eine dreckige, schmierige Masse, in der sich alle möglichen Abfälle aufgelöst haben und ihren unangenehmen Gestank verbreiten.

Es ist unmöglich, unsere Jutesäcke, die inzwischen zwar nass geworden, aber doch sauber geblieben sind, irgendwo abzusetzen. Bestimmt eine halbe Stunde irren wir durch diese armselige Landschaft, ohne die Hütte mit der Nummer 8744 zu finden. Mehrmals umkreisen wir Nummer 8740, aber dann bricht die Zahlenreihe wieder ab, wahrscheinlich weil irgendwelche *Shacks* längst zusammengebrochen oder abgebrannt sind. Weder Nomtha noch ich fühlen die Kälte, die Nässe, den Gestank oder den Hunger. Uns treibt nur noch die verzweifelte Gewissheit, dass wir so dicht vor dem Ziel auf keinen Fall aufgeben wollen, wo auch immer wir landen werden.

Und dann sehen wir sie plötzlich. Es kann sein, dass wir in unserer Unerfahrenheit sogar schon einmal daran vorbeigestolpert sind. Zum vierten oder fünften Mal haben wir begonnen, ausgehend von der Nummer 8740, in Kreisen die verschiedenen *Shacks* nach Nummern abzusuchen, die in weißer Schrift, manchmal mit Ölfarbe, manchmal auch nur mit Kreide, meist auf die klapprigen Türen geschmiert sind. Bei einer Hütte, die inmitten anderer Buden höchstens zehn Meter von Nummer 8740 entfernt steht, ist die schiefe Tür halb geöffnet. Der Boden ist feucht und zum Teil von schlammigem Wasser überflutet.

Diese Hütte trägt keine Nummer, vielleicht hat sie der Regen abgewaschen. Aber auf einer muffigen Matratze sitzt eine alte, abgemagerte Frau, die, in eine ausgefranste Decke gehüllt, starr vor sich auf die Wand schaut. Die Matratze liegt auf mehreren übereinander gestapelten Holzpaletten, der Boden darunter ist feucht. Die Frau hält ein Foto mit einem Silberrahmen in den Händen, das wir beide im gleichen Augenblick erkennen.

»Mama?«, fragt Nomtha vorsichtig ins Dunkel der Hütte hinein.

eLokishini

Im Township

Der Kopf der verhärmten Frau bewegt sich langsam in unsere Richtung. Im ersten Moment scheint es, als ginge ihr Blick durch uns hindurch. Dann aber fixiert sie unsere Gesichter – erst Nomthas, dann meines. Als sich mein Blick mit ihrem trifft, ist es, als würde bei uns gleichzeitig der Funke des Wiedererkennens überspringen – das sind Mutters leicht mandelförmige dunkelbraune Augen, kein Zweifel!

»Mama!«, rufe ich, ziehe Nomtha mit mir in die stinkende, feuchte Hütte, wo wir uns zu dritt in die Arme fallen. Mutter ist entsetzlich dünn geworden. Jeder Knochen ist zu spüren, als ich ihr mit der Hand sanft über den Rücken streiche. Für diesen Augenblick vergessen wir alles um uns herum – die Kälte, den Dreck, die Feuchtigkeit, ja, selbst dass Mutter offenbar sterbenskrank ist. Wir haben sie gefunden, wir sind wieder zusammen. Nur das zählt jetzt, alles andere kommt später.

Nomtha und Mama weinen, aber es sind Freudentränen. Auch ich muss ein paarmal schlucken, versuche jedoch, nach außen stark zu bleiben. Unsere Jutesäcke stehen noch immer draußen vor dem Eingang, wo ich sie auf einem etwas erhöhten Sandhaufen abgestellt habe. In Mutters Hütte kann ich keinen trockenen, sauberen Platz für sie entdecken.

Weder Nomtha noch ich lassen Mutter spüren, wie entsetzt wir über ihr Aussehen sind. Wie viel Schreckliches muss sie in den vergangenen Monaten durchgemacht haben! Warum ist sie nicht zurück zu Sister Princess in die Tagesklinik gegangen, wo sie doch offensichtlich dringend Medikamente braucht? Und gibt es sonst niemanden hier, keine Nachbarin, keine Freundin, die ihr in so einer schlimmen Situation hilft?

Nirgends in der Hütte können wir etwas zu essen entdecken. Während ich Mutter eine der letzten beiden Orangen gebe, die wir noch in unserer Proviantttüte haben, sage ich leise zu Nomtha: »Kannst du zurück zur Asphaltstraße laufen? Ich habe dort einen oder zwei *Spaza-Shops* gesehen, wo du bestimmt Brot, Milch und Obst kaufen kannst.« Ich zähle sorgfältig unser verbliebenes Geld … noch knapp über hundert Rand. Das ist nicht viel, aber es ist deutlich, dass Mutter nichts besitzt und wir davon erst mal so lange wie möglich überleben müssen. Nomtha wischt sich die Tränen aus dem Gesicht und lächelt Mutter aufmunternd zu: »Ich gehe einkaufen, Mama. Genau wie früher.«

Auch Mutter versucht ein Lächeln.

Wir werden sicher bald erfahren, was in den vergangenen Monaten geschehen ist. Jetzt geht es erst mal ums nackte Überleben. Mutter hat kaum noch Kraft, sich überhaupt aufrecht zu halten, geschweige denn für lange Reden. Zum Glück ist der Wolkenbruch in ein leichtes Nieseln übergegangen. Von den Holzpaletten in Mutters Hütte ziehe ich eine, die noch relativ trocken ist, hinaus ins Freie, lege unsere beiden Jutesäcke wie Sitz und Lehne eines Sessels darauf und stütze dann Mutter so, dass sie sich erheben und die wenigen Schritte gehen kann, um sich dort niederzulassen.

Dann verschaffe ich mir einen Überblick, welche der herumliegenden Holz- und Metallreste noch zu gebrauchen sind. Mit einer rostigen, in der Mitte durchgetrennten Blechdose, die ich als Schaufel benutze, trage ich zunächst die moddrige Schmutzschicht vom Boden ab und fülle den Grund so lange mit Sand aus dem Haufen vor der Hütte auf, bis es langsam trockener wird. Ein Loch im Dach kann ich mit einer größeren Metallplatte einigermaßen stabil abdecken.

Ich wage Mutter nicht zu fragen, was aus ihren persönlichen Sachen, ihrer Kleidung und Luthandos Koffer geworden ist. Nur der silberfarbene Bilderrahmen mit Vaters Foto liegt am Kopfende ihres Lagers.

Als ich aus der Hütte trete, sehe ich Nomtha mit einer Papiertüte neben Mutter sitzen. Sie reicht ihr eine Plastikflasche mit frischer Milch. Außer der feuchten Matratze, zwei schmuddeligen Decken und einem wackeligen Paraffinkocher kann ich keinen Gegenstand von irgendeinem Wert entdecken. Ich drehe die Matratze um und stelle fest, dass sie zumindest auf der anderen Seite trocken ist.

Als die Hütte einigermaßen bewohnbar ist, setze ich mich draußen neben Nomtha und Mutter. Mein Magen knurrt, und das frische Brot und die reifen Bananen, die Nomtha gekauft hat, schmecken köstlich.

Ihr offenbar einziges Kleid trägt Mutter am Leib. Es hat mehrere Löcher und ist vermutlich seit Tagen nicht mehr gewaschen worden.

»Habt ihr hier irgendwo einen Wasseranschluss?«, frage ich Mutter mit vollem Mund.

»Nicht hier«, sagt sie leise. »Aber dahinten.« Sie weist mit ihrem dünnen Arm in Richtung Hauptstraße.

Während wir noch beieinander sitzen und essen, wird die Tür einer anderen Hütte ganz in der Nähe aufgeschoben und ein älterer Mann mit einem kleinen Jungen an der Hand schaut uns argwöhnisch an.

»*Molo Tata!*«, grüße ich höflich.

Er antwortet nicht, sondern schiebt nur den Jungen zurück in seine Hütte und fährt uns dann mit heiserer Stimme an: »Die Frau muss hier weg!«

»Die Frau ist unsere Mutter!«, entgegne ich empört. »Wieso hat ihr keiner von euch geholfen?«

»Da ist sie selbst dran schuld!«, krächzt er und knallt dann seine wackelige Tür wieder zu.

Entsetzt schauen Nomtha und ich zu Mutter, die während der kurzen Auseinandersetzung ihren Kopf gesenkt hat.

»Warum ist der Kerl so unfreundlich, Mama?«, fragt Nomtha erbost und legt ihr beschützend einen Arm um die Schulter.

Mutter hebt langsam den Kopf und schaut uns mit einem Blick an, der verrät, dass sie hier neben den körperlichen Leiden auch noch anderes Elend erfahren hat. Dann flüstert sie eine kurze Antwort, die wir beim ersten Mal beide nicht verstehen. Ein Hustenanfall schüttelt ihren geschwächten Körper, aber sie hält sich aufrecht. Das Sprechen bereitet ihr sichtlich Mühe, so als hätte sie starke Halsschmerzen. Aber sie versucht es erneut und jetzt können wir jedes Wort verstehen.

»Die Menschen sind so dumm … so dumm!«, sagt sie als einzige Erklärung.

Ich kann und will nicht glauben, dass alle Nachbarn hier so sind wie dieser alte Mann. Als Nächstes brauchen wir dringend einen Eimer oder eine große Schüssel, um Mutter waschen und ihr trockene, saubere Kleidung von uns anziehen zu können. Ohne weiter zu fragen, erhebe ich mich und klopfe an einige Türen, die wegen des anhaltenden feinen Regens beinah alle geschlossen sind. Erst öffnet niemand, aber bei der dritten Hütte habe ich Erfolg. Ein Mädchen von etwa zehn Jahren schaut mich durch einen Spalt neugierig an.

»Ist deine Mutter zu Hause?«, frage ich sie freundlich.

Sie schüttelt den Kopf, macht aber die Tür weiter auf, da sie nun auch Nomtha entdeckt hat.

»Kannst du uns einen Eimer zum Wasserholen borgen?«, hakt Nomtha nach.

Jetzt nickt das Mädchen, verschwindet in ihrer Hütte und reicht mir kurz darauf einen beinah neuen Plastikeimer. »Ich heiße Nelisa«, sagt sie.

»Und ich Themba!« Wir geben einander die Hand.

»Und deine Freundin?« Nelisa scheint froh zu sein, neue Gesichter zu sehen.

»Das ist meine Schwester!« Ich lache und Nelisa lacht auch. Während ich mich auf den Weg zum Wasserhahn mache, setzt sie sich neben Mutter und Nomtha auf die Erde und betrachtet fasziniert Nomthas grünes T-Shirt. Sie scheint keine Angst zu haben und ich spüre bei ihr keine Ablehnung gegen Mutter.

Als ich mit einem Eimer frischen Wassers zurückkomme, hat der Regen endlich völlig aufgehört. Eine nach der anderen öffnen sich jetzt weitere Türen. Hier und da hängen Menschen Handtücher und Bettzeug zum Trocknen über kreuz und quer gespannte Drähte und Plastikleinen. Doch obwohl die Menschen hier so dicht beieinander wohnen, spricht uns niemand an. Niemand fragt uns, wer wir sind, niemand will unsere Namen wissen.

Wir stützen Mutter, damit sie sich erheben kann. Mit steifen Schritten geht sie mit Nomtha in die Hütte, um sich dort von ihr waschen zu lassen.

»Kann ich Mama deinen Pullover geben?«, fragt Nomtha noch, bevor sie die Tür von innen schließt.

»Ja, logisch!«, rufe ich zurück. Zu Nelisa sage ich: »Wir bringen dir den Eimer nachher rüber, ist das in Ordnung?«

»Ist gut.« Sie wendet sich ab, um zu ihrer Hütte zurückzukehren.

»Nelisa, darf ich dich was fragen?«

Nelisa dreht sich um und nickt. »Was denn?«

»Warum sind die Menschen so abweisend zu unserer Mutter?«

Sie senkt ihre Stimme: »Wisst ihr es wirklich nicht?« Und nach einer Pause noch leiser: »Sie hat AIDS, jeder weiß das hier!« Es scheint, als sei es auch Nelisa verboten, mit Mutter zu sprechen oder sich in ihrer Nähe aufzuhalten. Offenbar hat sie trotzdem beschlossen, sich nicht daran zu halten.

»*Enkos'* – danke, Nelisa«, sage ich genauso leise. Ihr Lächeln, bevor sie wieder in ihrem kleinen Haus verschwindet, tut gut.

Mutter hat AIDS! Mutter hat AIDS! Mutter hat AIDS! Der Gedanke schießt wie ein greller Blitz in meinem Kopf hin und her. Gleichzeitig bin ich erstaunlich ruhig. Jeder kennt inzwischen jemanden, der AIDS hat oder dessen Verwandter oder Freund daran erkrankt oder gestorben ist. Warum also immer wieder diese Geheimniskrämerei, das Schweigen, die Ablehnung, all das Getue, als wäre das keine Krankheit, sondern ein böser Fluch? Wenn unsere Mutter jetzt irgendetwas vor allem anderen auf der Welt nötig hat, dann sind es Liebe und Sorge anderer Menschen. Obwohl die Wahrheit so schrecklich ist, danke ich doch Gott, dass er uns gerade noch rechtzeitig hierher geschickt hat. Ich weiß zu wenig, warum manche Menschen an AIDS ganz schnell sterben und andere offensichtlich viele Jahre damit leben können. Aber eins steht fest: Nie werden wir unsere Mutter im Stich lassen, niemals. Und ich weiß, dass Nomtha genauso darüber denkt.

Als hätte sie gespürt, dass ich gerade an sie gedacht habe, öffnet Nomtha in diesem Moment die Tür und winkt mich herein. »Schau mal«, sagt sie leise.

Mutter liegt auf der trockenen Seite der Matratze und lächelt. Ich kenne dieses Lächeln. Da braucht sie nichts weiter zu sagen. Mutter ist stolz auf uns. Sie trägt meinen viel zu großen, aber warmen Wollpullover und eine etwas zu kurze weite Stoffhose von Nomtha, die sich am Bauch nicht schließen lässt. Aber ihr Haar ist ordentlich frisiert und die vorhin noch trockene, aufgesprungene Haut im Gesicht ist sorgfältig eingecremt. Ihr Kopf ruht auf einem unserer als Kissen ausgestopften Jutesäcke.

»Euch hat Gott gesandt«, sagt sie, und mir ist, als würde ihre Stimme schon nicht mehr so heiser klingen. Erst jetzt scheint sie meine Wunde am Kopf zu bemerken. »Hattest du einen Unfall beim Fußball, Junge?«, fragt sie besorgt.

Ich schüttle den Kopf. Bestimmt darf sie sich nicht aufregen. Aber lügen möchte ich auch nicht. Bevor mir eine passende Formulierung einfällt, entscheidet sich Nomtha für die Wahrheit und erklärt: »Das war Onkel Luthando. Es ging am Ende einfach nicht mehr. Auch darum haben wir uns aufgemacht, um herauszufinden, was aus dir geworden ist. Und um wieder mit dir zusammen zu sein.«

Mutter winkt mich zu sich ans Bett und deutet mir an, mich zu ihr hinunterzubeugen. Dann betastet sie vorsichtig die Wunde an meinem Kopf. »Hat er dir sonst noch etwas getan?«, flüstert sie mit Tränen in den Augen und unterdrückt einen neuen Hustenanfall.

Diesmal entscheide ich mich für eine glatte Lüge: »Nein, Mama.«

Dann soll sich auch Nomtha ganz dicht zu ihr setzen. Sie ergreift je eine unserer Hände mit ihren mageren Fingern und holt einmal tief Luft, bevor sie spricht: »*Bantwana bam* – meine Kinder, ich habe so oft gebetet, dass meine Kraft noch reicht, um euch wiederzusehen. Und Gott hat meine Gebete erhört. Ich habe ihm aber auch versprochen, dass ich mit euch, meinen Kindern, ganz ehrlich sein werde...« Sie hält einen Augenblick inne und schaut uns still an. Wir nicken schweigend. Mutter hustet ein paarmal und fährt fort: »Am Anfang ging hier alles so gut, wie ich es euch in meinen ersten Karten geschrieben habe. Aber dann wurde ich plötzlich immer öfter krank. Ich hatte schreckliche Angst, dass es jene Krankheit sein könnte, deren Namen viele Menschen nicht einmal auszusprechen wagen...« Mutter muss eine kurze Pause machen, um wieder zu Atem zu kommen. »Damit hier niemand Verdacht schöpft, ging ich zum Kreiskrankenhaus nach Fish Hoek, um einen Test zu machen. Ein paar Tage später hatte ich Gewissheit. Damals habe ich euch alles Geld geschickt, das ich noch besaß, weil ich nicht wusste, was werden sollte, und immer nur an euch denken musste.«

Nomtha hat sich eine Faust vor den Mund gepresst. Trotzdem kann sie jetzt einen entsetzten Aufschrei nicht unterdrücken.

Ich lege meinen freien Arm um sie und sage leise: »Ja, Mama hat AIDS, aber jetzt sind wir doch bei ihr.«

Nomtha wird von einem heftigen Schluchzen überwältigt, das einige Minuten dauert. Als sie sich etwas beruhigt hat, fügt Mutter noch etwas hinzu, das nun wiederum mein Herz bis zum Hals klopfen lässt: »Ich weiß, dass ich durch Luthando infiziert wurde. Mehr als einmal habe ich ihm gesagt, dass er ein Kondom benutzen soll, aber er hat mich nur ausgelacht und gemeint, dass er ein Bonbon auch nicht mit Papier lutschen würde... Er ist der Einzige, bei dem ich mich infiziert haben kann.«

Mein Herz klopft und klopft, als würde jemand mit einem Hammer auf eine gewaltige Eisentonne schlagen. Schweißtropfen bilden sich auf meiner Stirn. Ich ziehe etwas zu schnell meine Hand von Mutter zurück und nehme meinen Arm von Nomthas Schulter. Keine darf mein Zittern spüren, das ich nur noch mühsam unterdrücken kann. Luthando, dieser elende Schuft, hat Mutter angesteckt... Und ich bin nicht so blöd zu hoffen, dass er ein Kondom benutzte, als er mich vergewaltigt hat. Hat er mich auch angesteckt? Werde auch ich in ein paar Wochen oder Monaten oder Jahren an AIDS erkranken?

Natürlich hat Mutter etwas gemerkt. Auch Nomtha schaut mich plötzlich besorgt an. »Ist dir schlecht, Themba?«

Ich springe auf und laufe vor die Hütte. Ich nehme eines der Abfallbretter und schlage damit so lange gegen einen Holzpfahl, bis das Brett zersplittert. Durch das Knallen aufgeschreckt, schiebt jener unfreundliche Alte erneut seine Tür auf und schaut neugierig hinaus. Mit einem Rest des zersplitterten Holzes in meiner Hand mache ich einen Schritt auf ihn zu. Ich sehe ein kurzes Erschrecken in seinen Augen, da hat er seine Tür schon wieder zugeknallt. Der wird in meiner Gegenwart jedenfalls keine dummen Sprüche mehr über Mutter machen.

Von drinnen höre ich ihre schwache Stimme, von mehrmaligem Husten unterbrochen: »Themba, mein Junge... komm her!«

Ich lasse das letzte Stück Holz fallen und gehe langsam zurück zu Nomtha und Mutter. Es ist das erste und einzige Mal, dass ich die Tränen nicht zurückhalten kann. Nomtha und ich sitzen wie kleine Kinder an Mutters Bett und weinen wie früher, als wir noch klein waren und Mutter uns getröstet hat. So wie damals, als mein erstes selbst gebasteltes Drahtauto in den Fluss gefallen war oder als Nomtha sich mit ihrer besten Freundin geprügelt und verloren hatte. Wie damals sagt Mutter gar nichts, sondern streicht uns nur zärtlich mit ihren Fingern übers Haar. Langsam und ganz sanft, von der Stirn bis zum Hinterkopf und zurück, beruhigend, liebevoll, immer wieder.

In den nächsten Wochen gewöhnen wir uns erstaunlich schnell an die neue Lebenssituation. Außer Nelisa gibt es noch eine andere Nachbarin, die durchaus freundlich ist und Mutter, schon bevor wir kamen, ab und zu etwas zu essen zugesteckt oder ihre Kleidung mitgewaschen hat, ohne viel Aufhebens davon zu machen. Leider, so erzählt sie uns, ist sie nur vorübergehend hier. Nach etwa einem Monat verabschiedet sie sich eines Morgens von Mutter und uns, um zurück nach eBayi zu fahren, wo die meisten ihrer Kinder wohnen. Ein paar Haushaltsgegenstände – einige Teller, einen Topf und eine große Plastikschüssel – überlässt sie uns, ohne dafür Geld zu verlangen.

Ebenso wie daheim in Qunu gibt es in der Nähe des Townships eine große Straßenkreuzung, wo frühmorgens viele arbeitslose Männer stehen und auf Jobs als Tagelöhner hoffen. Ab dem dritten Tag, als unser Geld aufgebraucht ist, gehe auch ich dorthin. Erst klappt es nicht, weil ich immer noch barfuß bin und offensichtlich keiner einen Job für jemanden hat, der nicht einmal Schuhe trägt. Dann jedoch kann ich von einem der anderen Männer ein Paar gebrauchte Arbeitsstiefel gegen eine meiner langen Hosen eintauschen. Von nun an gelingt es mir ab und zu, auf einer Baustelle als Handlanger eines Maurers zu arbeiten, einmal sogar an fünf Tagen hintereinander.

Von dem Lohn kaufen wir nicht nur Lebensmittel und Paraffin für den kleinen Kocher, sondern auch eine Bluse und einen Rock für Mutter aus einem Secondhandladen in Fish Hoek. Nomtha hilft ebenfalls, indem sie ihre Brenda-Fassie-CD und noch ein paar andere Dinge verkauft. Sie ist noch zu jung, um sich um Arbeit zu bewerben, und außerdem wollen wir Mutter nicht so lange allein lassen.

Einmal halte ich die hellblaue Karte mit der Telefonnummer von Big John in der Hand und überlege hin und her, ob ich ihn anrufen soll. Aber ich hätte ja gar keine Zeit, zu einem regelmäßigen Training zu kommen. Und ihn einfach so um Hilfe zu bitten, wage ich nicht. Noch nicht.

Mutter bleibt vorerst körperlich sehr schwach. Ab und zu hat sie hohes Fieber ohne ersichtliche Ursache, das aber zum Glück immer wieder nach wenigen Tagen von selbst zurückgeht. Regelmäßig wachen wir nachts auf, wenn sie von einem heftigen Hustenanfall geschüttelt wird. Mehrmals versuchen wir, sie zu überreden, mit zu Sister Princess in die Tagesklinik zu kommen. Aber Mutter sagt, dass sie warten möchte, bis sie sich so weit erholt hat, dass sie den Weg dorthin aus eigener Kraft schafft.

»Wenn ich an eurem Arm durchs halbe Township wanke, dann gibt es noch mehr Gerede.«

Und es scheint, als würde ihre Beharrlichkeit belohnt. Ab und zu schläft sie jetzt eine ganze Nacht durch. Allmählich nimmt sie sogar wieder etwas zu und an manchen Tagen hilft sie Nomtha beim Kochen oder Wäschewaschen.

Eines Morgens, als sie wie früher den Silberrahmen mit Vaters Foto sorgfältig mit einem kleinen Tuch poliert, hält sie plötzlich inne und fragt Nomtha und mich, die wir gerade aufgewacht sind und uns noch den Schlaf aus den Augen reiben: »Habe ich euch eigentlich von jenem Mann erzählt, den ich kurz nach meiner Ankunft in iKapa traf und der meinte, er würde euren Vater kennen?«

Mit einem Schlag sind wir beide hellwach.

»Und?«, fragt Nomtha.

»Ich hatte damals für ein paar Tage das Zimmer von Mama Zaneles Freundin übernommen. Nebenan wohnte der Gärtner der weißen Familie. Er sah eines Abends das Foto und fragte, ob Vuyo Matakane ein Bruder oder ein anderer Verwandter sei. Ich antwortete nur: Ja, ein anderer Verwandter, denn ich kannte den Gärtner ja kaum und wusste nicht, ob ich ihm vertrauen konnte.« Mutter muss nach der langen Rede erst wieder tief Atem holen. »Dann sagte er, dass er früher mit Vuyo in einer politischen Gruppe in Soweto gearbeitet habe. Später, also nach dem Ende der Apartheid, hätten einige Genossen behauptet, dass Vuyo im Gefängnis andere an die Polizei verraten hätte. Der Gärtner meinte, dass das für Vuyo ganz schlimm gewesen sein muss, schließlich hat er für die Freiheit sein Leben eingesetzt. Und dann solche Beschuldigungen von den eigenen Freunden …«

Mir fällt auf, dass Mutter uns gegenüber nicht von »unserem Vater« spricht, sondern seinen Vornamen nennt.

»Wusste der Gärtner nicht, wo Vater heute lebt?«, frage ich nach.

Mutter schüttelt den Kopf: »Nein. Er hatte ihn vor mehreren Jahren zuletzt gesehen. Er wusste nur, dass Vuyo damals mehrere ehemalige Genossen aufgesucht hat, um ihnen zu beweisen, dass er nie jemanden verraten hat.« Und dann fügt sie beinah stolz hinzu: »Der Mann sagte, dass er nicht glaube, dass Vuyo ein Verräter sei. Aber er sagte auch, dass es furchtbar schwer sei, stark zu bleiben, wenn man gefoltert wird. Was damals genau mit Vuyo geschehen ist, das konnte er auch nicht sagen.«

Mutter scheint bereit, einen gewissen Frieden mit ihrem verschwundenen Mann zu machen. Er ist nicht wegen einer anderen Frau verschwunden oder weil er woanders Schulden gemacht hat. Seine Worte in seiner letzten Botschaft an Mutter über »die Vergangenheit«, die ihn »eingeholt« habe, ergeben vor diesem Hintergrund endlich einen gewissen Sinn.

Zu Mutters Besserung trägt sicher auch bei, dass endlich der feuchtkalte Winter am Westkap zu Ende geht und die Tage wieder wärmer und freundlicher werden.

An manchen Abenden sitzt sie jetzt vor unserer Hütte auf einem erhöhten Brett in der Abendsonne, wenn ich stolz und mit etwas Geld von einem Job oder auch niedergeschlagen nach einem langen Tag des vergeblichen Wartens nach Hause komme.

Eine Woche nach meinem sechzehnten Geburtstag schreibe ich einen Brief an Sipho: »Wir haben Mutter tatsächlich gefunden. Aber das Leben ist nicht leicht hier. Warte lieber noch eine Weile, bevor du auch hierher kommst. Ich schreibe dir wieder.«

Zu gern würde ich wissen, wie es ihm und seinen Geschwistern geht und natürlich unserer Fußballmannschaft. Aber in unserem Teil des Townships wird keine Post ausgeliefert.

In einer warmen Spätsommernacht werden Nomtha und ich durch ein unterdrücktes Stöhnen von Mutter aus dem Schlaf gerissen. Beinah gleichzeitig fahren wir von unserem Lager auf. Nomtha ist als Erste neben Mutters Bett, während ich versuche, mit einem Streichholz unsere einzige Kerze zu entzünden. Mutter reagiert nicht auf unsere Frage, was los ist. Sie liegt in einer eigenartig verkrampften Haltung, beide Augen halb geschlossen.

»Sie ist ganz heiß«, sagt Nomtha besorgt. Tatsächlich sind ihr Hemd und die dünne Decke nass geschwitzt. Ihr Atem geht unregelmäßig und zwischendurch scheint sie fast zu ersticken. Sie hatte schon öfter Fieber, und wir kennen ihre Hustenanfälle, aber heute Nacht glüht ihr ganzer Körper, und diese eigenartigen Krämpfe gab es vorher nie. Immer wieder stöhnt sie, als habe sie schreckliche Schmerzen, aber sie reagiert nicht, wenn Nomtha sie fragt, wo es wehtut.

»Sie hört uns nicht«, sagt Nomtha, und langsam bekommen wir es mit der Angst zu tun. Sie braucht unbedingt einen Arzt.

Mir fällt nur ein einziger Ausweg ein: »Du bleibst bei ihr, Nomtha. Ich laufe zum Kreiskrankenhaus nach Fish Hoek und versuche, einen Krankenwagen zu bekommen, der sie abholt.«

Nomtha nickt stumm. Als ich unsere Tür aufstoße, hat sie sich bereits wieder Mutter zugewandt und ist dabei, ihr ein mit Wasser gekühltes Tuch auf die Stirn zu legen. Ich trage nur eine kurze Sporthose und ein Unterhemd, als ich mich auf den Lauf durch die Nacht mache…

Es gelingt mir tatsächlich in weniger als einer Stunde, die Notaufnahme des Krankenhauses zu erreichen und sogar einen jungen Arzt aufzutreiben, der mir hilft, mitten in der Nacht einen Krankenwagen zu organisieren. Das Auto kann natürlich nur bis zum Ende der Asphaltstraße fahren. Dann begleiten mich die beiden Sanitäter mit einer Trage bis zu unserer Hütte, wo Nomtha uns angstvoll erwartet. Mutter scheint völlig leblos, aber einer der beiden Männer beruhigt uns: »Ihr Herzschlag ist sehr flach, aber noch deutlich spürbar…«

Sie heben ihren leichten Körper vorsichtig auf die Trage und schließen die Gurte. Nomtha und ich nehmen unser Geld und Mutters Ausweis mit und dürfen im Wagen zum Krankenhaus mitfahren. Dort wird Mutter sofort in die Notaufnahme gebracht, während wir uns in einem Warteraum gedulden müssen.

Einmal kommt der junge Arzt herein, um Mutters Personalien aufzunehmen. Er erklärt uns: »Ihr habt genau das Richtige gemacht. Eure Mutter hat Probleme mit der Lunge und einen schweren Kreislaufzusammenbruch, dessen Ursache noch nicht klar ist.«

Dann kommt mehrere Stunden niemand mehr und irgendwann müssen wir auf den harten Holzbänken eingeschlafen sein.

Es dringt bereits das erste Tageslicht durch die Fensterscheiben des Wartezimmers, als wir von einer Frauenstimme geweckt werden: »Themba? Nomtha? Erinnert ihr euch noch an mich?«

Vor uns steht Sister Princess in ihrer blauen Schwesterntracht. Wir reiben uns noch die Augen, als sie schon fortfährt: »Als ich zum Frühdienst kam, fiel mir gleich der Name eurer Mutter auf. Und dann sagte mir der Doktor vom Nachtdienst, dass die Kinder der Frau noch immer hier warten.«

»Kann Mutter wieder mit uns kommen?«, fragt Nomtha.

»Ausgeschlossen«, entgegnet Sister Princess. »Sie muss vorerst hier bleiben, aber ihr könnt sie jeden Tag besuchen. Bald werden wir mehr wissen.«

Fünf Tage lang wechseln Nomtha und ich uns mit Besuchen am Vor- und Nachmittag ab. Anfangs dürfen wir jeweils nur für wenige Minuten zu Mutter. Mehrere Schläuche führen aus ihrem Arm und ihrer Brust zu verschiedenen Flaschen und Geräten. Nicht einmal haben wir bisher mit ihr reden können. Sie scheint die meiste Zeit zu schlafen – oder ist sie zwischendurch immer wieder bewusstlos? Auf alle Nachfragen erhalten wir immer die gleiche Antwort: Wir sollen die Ergebnisse der verschiedenen Tests abwarten.

Am sechsten Tag bittet uns Sister Princess an einem Morgen, an dem wir gemeinsam im Krankenhaus sind, schließlich in ein Nebenzimmer, in dem nur ein Schreibtisch und ein paar Stühle stehen. Sie schließt die Tür und setzt sich uns genau gegenüber. Dann beginnt sie zu reden.

Ngoku okhanye hayi uyeke

Jetzt oder nie

»Eure Mutter wird nicht zu euch ins Township zurückkehren können…«, beginnt Sister Princess, ohne lange drum herum zu reden. »Sie hat wie durch ein Wunder, wahrscheinlich noch bevor ihr kamt, zwei oder drei schwere Lungenentzündungen überlebt, die sie wegen der Infektion mit HIV, dem Virus, das AIDS verursacht, bekommen hat. Davon ist ihre Lunge so beschädigt, dass sie ab jetzt ständig ärztlich betreut werden muss.«

Ich spüre, dass Sister Princess nicht nur eine Frau ist, der wir vertrauen können, sondern dass sie auch mehr weiß als alle, denen ich bisher begegnet bin. So schlimm die Nachricht über Mutters Gesundheitszustand ist, so wichtig ist es uns nun auch, endlich alles zu verstehen, was mit dieser Krankheit zu tun hat. Noch immer wird AIDS fast überall geleugnet und verschwiegen, selbst von Politikern und anderen gebildeten Leuten.

»Aber gibt es denn keine Medikamente gegen AIDS?«, frage ich.

»Doch, gibt es«, erklärt sie. »Allerdings kann man AIDS damit nicht heilen. Aber viele AIDS-Kranke können dadurch noch lange Zeit leben. Sie heißen *Antiretroviral-Medikamente*, viele nennen sie auch einfach *Cocktail-Medizin*, weil man immer drei verschiedene gleichzeitig nehmen muss. Inzwischen hat auch jeder Mensch in Südafrika das Recht auf diese Medikamente. Er bekommt sie sogar kostenlos, wenn er zu arm ist, um sie zu bezahlen. Aber die staatliche Verteilung funktioniert noch längst nicht überall und…« Hier macht Sister Princess eine lange Pause, »…sie wirken nur, wenn man nicht zu spät mit der Einnahme beginnt. Deshalb ist es so wichtig, sich möglichst früh testen zu lassen, um herauszufinden, ob man das HI-Virus im Blut hat. Wenn dieser Test positiv ausgeht, muss man noch einen zweiten Test machen. Dabei wird gemessen, wie viel von dem Virus bereits im Blut ist. Durch diesen zweiten Test, den eure Mutter noch nie hat machen lassen, haben wir festgestellt, dass sie viel zu lange gewartet hat.«

»Und was bedeutet das jetzt?«, bohrt Nomtha nach.

Äußerlich bleiben wir beide ruhig. Wir müssen um jeden Preis verstehen, was genau mit Mutter los ist und wie wir ihr am besten helfen können.

»Das bedeutet, dass sich in ihrem Blut schon so viele HI-Viren gebildet haben und ihr Körper durch all die Infektionskrankheiten, die sie deswegen bekommen hat, schon so geschwächt ist, dass die Medikamente ihr nicht mehr helfen werden. Wir können eurer Mutter nur noch traditionelle Medikamente gegen die Symptome geben und natürlich Schmerzmittel, um ihr Leiden zu lindern, so gut es eben geht.«

»Kann Mutter hier im Krankenhaus bleiben, sodass wir sie weiter regelmäßig besuchen können?«, fragt Nomtha. Ich bin stolz, wie selbstbewusst sie redet, obwohl sie doch gerade erst vierzehn geworden ist.

Sister Princess schüttelt den Kopf: »Nein. Wir bemühen uns um einen Platz in einem Hospiz, wo sie gut versorgt wird, bis… also bis…« Sie unterbricht sich und sucht nach den richtigen Worten. Zum ersten Mal spüren wir, dass ihr dieses Gespräch trotz allem, was sie schon erlebt haben muss, nicht leicht fällt.

Nomtha greift nach meiner Hand. Wir schauen uns kurz an und nicken einander zu. Wir wissen, was Sister Princess sagen will. Ich spüre, dass Nomtha gegen die aufkommenden Tränen kämpft. Ihre Mundwinkel zittern kaum merklich und sie hat die Lippen fest aufeinander gepresst.

Ich räuspere mich in dem Versuch, meine Stimme unter Kontrolle zu halten: »Wie lange wird Mutter noch leben?«

Sister Princess lehnt sich auf ihrem Stuhl zurück und antwortet mit zweifelndem Kopfschütteln: »Themba, das weiß allein Gott genau. Wir vermuten, dass sie noch ein paar Wochen oder Monate leben kann, aber wahrscheinlich kein ganzes Jahr mehr ...«

Auch wenn deutlich ist, dass sie uns alles Wichtige gesagt hat, bringen es Nomtha und ich einfach nicht fertig, aufzustehen und zu gehen. Wir sind wie gelähmt, als hätte sich ein zentnerschweres Gewicht auf uns gelegt, das uns auf den Stühlen niederdrückt.

»Wollt ihr noch einen Moment allein hier im Raum bleiben?«, fragt Sister Princess leise.

Nomtha reagiert nicht, ich nicke stumm. Die Schwester erhebt sich leise und legt uns beiden beim Hinausgehen kurz ihre Hand auf die Schulter. Dann schließt sie die Tür von außen.

Lange bleiben Nomtha und ich wie erstarrt sitzen. Einmal versucht Nomtha, etwas zu sagen, bricht dann aber wieder ab. So viele Bilder fliegen wie vom Sturm getriebene Wolken durch meinen Kopf. Zu meinem Erstaunen sind es ausschließlich schöne Bilder von früher – aus der unbeschwerten Zeit mit Mutter, als wir noch jünger waren und gemeinsam gelacht und gesungen haben, als wir uns auf Mutters Essen nach der Schule freuten oder auf ihren Gutenachtkuss vor dem Einschlafen warteten ...

Irgendwann fragt Nomtha: »Was ist ein Hospiz?«

Ich weiß es auch nicht genau. Ich vermute, dass es eine Art Krankenhaus ist für Menschen, die sterben müssen.

Endlich erheben wir uns mit steif gewordenen Gliedern von unseren Stühlen. Als wir die Tür öffnen, sehen wir die gewohnte Betriebsamkeit auf dem Krankenhausflur, als sei nichts weiter geschehen. Eine Krankenschwester scherzt mit einer Patientin, die eine zweite Portion Frühstück verlangt. Nur für uns hat sich alles verändert. Alles.

Wir gehen still zu Mutters kleinem Krankenzimmer, das sie mit einer anderen, viel älteren Frau teilt, die ebenfalls immer zu schlafen scheint und wie Mutter mit Drähten und Schläuchen an verschiedene Apparate angeschlossen ist. Wir setzen uns neben Mutters Bett und schauen sie an... viele Stunden lang, stumm und ohne uns viel zu bewegen. Manchmal verschwimmt ihr Bild vor meinen Augen, und dann gelingt es mir, hinter den eingefallenen Gesichtszügen unsere schöne junge Mutter von früher zu erkennen.

Erst am späten Nachmittag verlassen wir das Krankenhaus und gehen, noch immer schweigend, zur Haltestelle der Minibusse, um zurück ins Township zu fahren.

Am Abend, als Nomtha auf Mutters Bett eingeschlafen ist, sitze ich noch lange bei Kerzenlicht und schreibe einen ausführlichen Brief an Sipho. Niemand außer Nomtha kann mich in diesen Stunden so verstehen wie er.

Mutters Überweisung in ein staatliches Hospiz in Bellville, einem Stadtbezirk weit im Norden von iKapa, findet bereits drei Tage später statt.

»Wir brauchen hier einfach die Betten«, sagt Sister Princess. Als sie unsere bekümmerten Gesichter sieht, fügt sie hinzu: »Dort wird sie gut versorgt, ganz bestimmt.«

Obwohl das normalerweise nicht gestattet ist, dürfen wir wieder im Krankenwagen mitfahren, als Mutter an einem

Vormittag vom Kreiskrankenhaus in das Hospiz nach Bellville transportiert wird. Bis auf den durchsichtigen Schlauch von ihrer Nase zur Sauerstoffflasche werden für die Fahrt alle anderen Kabel und Schläuche entfernt. Bis dahin konnten wir immer noch nicht mit Mutter sprechen. Einmal hat sie für eine Weile die Augen weit geöffnet, aber sie schien uns nicht zu erkennen, sondern starrte nur stumm an die Decke, bis sie nach etwa zwanzig Minuten wieder einschlief.

Nach etwa einer Stunde Fahrt, zum Teil über die große Autobahn Richtung Flughafen, rollt der Krankentransporter noch eine Weile durch eine eher ärmliche Wohngegend, bevor wir vor einem mit einfachem Maschendraht bespannten Tor stehen bleiben und der Fahrer mehrmals hupt. Endlich kommt ein älterer Mann schlaftrunken aus einem kleinen Schuppen heraus und öffnet umständlich eine Seite des quietschenden Tores, nur gerade so weit, dass wir auf das Hospizgelände fahren können. Seine Uniformmütze sitzt schief, als wir langsam an ihm vorbeirollen.

Die Fenster des Krankenwagens sind aus Milchglas, nur durch einen schmalen Spalt an der Seite kann man etwas sehen. Wir erkennen mehrere Steinbaracken, die sich wie bei einem Militärlager in Reihen über ein weites Gelände erstrecken, auf dem kaum Büsche oder Bäume wachsen, sondern das im Wesentlichen aus ungepflegten Sandflächen und braun vertrocknetem Rasen besteht. Vor einer der Baracken mit der Nummer sieben stoppt der Fahrer den Wagen und springt heraus, um auf einen Klingelknopf neben der Eingangstür zu drücken. Es dauert mehrere Minuten, bis die Tür von innen aufgeschlossen wird und eine ältere Krankenschwester mit einem flachen Ordner unter dem Arm auf uns zukommt. Als die hintere Klappe des Autos aufgeht, hören wir sie in gereiztem Ton zu unserem Fahrer sagen:

»Ja, wir wurden heute früh wegen der Frau angerufen.

Aber da wurde mir gesagt, dass Sie bestimmt vor zehn Uhr hier sein würden. Jetzt ist es nach zwölf... also, das geht wirklich nicht! Was denken Sie, wie voll wir hier sind? Nein, also der Platz ist jetzt weg, tut mir wirklich Leid.«

Dann erblickt sie uns beide neben Mutter im Wagen und empört sich weiter, ohne uns direkt anzusprechen: »Sind das die Kinder der Frau? Das ist nun in jedem Fall verboten. Wir haben hier jeden Abend eine Stunde Besuchszeit und am Sonntagnachmittag zwei. Da können wir wirklich nicht dauernd Ausnahmen machen!«

Auch auf diese zweite Zurechtweisung reagiert weder unser Fahrer noch der zweite Sanitäter. Sie scheinen diese unfreundliche Schwester schon zu kennen und scheren sich nicht weiter um das, was sie sagt. Der zweite Mann zündet sich im Freien eine Zigarette an und vertritt sich die Beine. Der Fahrer stellt den Motor ab, kratzt sich kurz am Kopf und fragt dann ruhig: »Und jetzt?«

Die Schwester verschwindet ohne ein weiteres Wort wieder in Baracke sieben, wobei sie die Tür hinter sich abschließt. Dass hier ein solcher Ton herrscht, kann Sister Princess nicht gewusst haben, sonst hätte sie Mutter bestimmt nicht hierher geschickt.

Die Sonne brennt auf diesen unwirtlichen Ort herunter, und auch im Wagen steigt jetzt die Temperatur, seit der Motor und damit auch die Klimaanlage ausgeschaltet sind. Mutter stöhnt leise, aber sie rührt sich nicht. Ihr Atem geht unruhig.

»Gibt es kein anderes Hospiz in iKapa?«, frage ich den Fahrer verzweifelt.

»Schon, aber da musst du für alles selbst bezahlen... hier ist es umsonst.«

In dem Moment kommt die unfreundliche Alte mit einer etwas jüngeren Schwester im Schlepptau zurück. Im gleichen

Befehlston wie vorhin erklärt sie dem Fahrer: »Die Frau legen wir für zwei oder drei Nächte auf eine Liege im Flur, bis das nächste Bett frei wird. Schwester Ruth wird Ihnen zeigen, wohin Sie sie bringen müssen.«

Damit macht sie kehrt, ohne uns noch eines Blickes zu würdigen. Nicht einmal hat sie Mutters Namen genannt, sondern immer nur von »der Frau« gesprochen.

Ich schlage vor Wut mit der Faust gegen die Autotür und auch Nomtha bebt vor Zorn: »So eine blöde Kuh!«

Die beiden Sanitäter sagen nichts, sondern ziehen nur vorsichtig Mutters Trage aus dem Wagen, und gemeinsam folgen wir Schwester Ruth in die Baracke sieben. Ein junges Mädchen schrubbt mit einer Bürste den endlos langen Linoleumboden im Flur. Trotzdem schlägt uns ein säuerlicher Pissegeruch entgegen.

Schwester Ruth, die uns immerhin zaghaft zulächelt, zieht ein sauberes Bett für Mutter aus einer dunklen Ecke und schiebt es im Flur direkt vor ein Fenster, wo es wenigstens schön hell ist. Auf einem Rollwagen daneben bringt sie die Sauerstoffflasche unter.

Nomtha und ich haben Mutters Bluse und Rock mitgebracht, außerdem Vaters Foto im Silberrahmen. Als sie sieht, wie Nomtha die Bluse aus der Plastiktüte holt, legt sie eine Hand auf Nomthas Arm und sagt: »Kind, unsere Patienten haben hier alle die gleichen Nachthemden. Nimm das mal wieder mit. Es verschwindet hier sonst nur.«

Den Bilderrahmen holt Nomtha erst gar nicht mehr hervor. Als Mutter wenig später im Bett liegt und außer der Sauerstoffflasche auch ein Tropf für die künstliche Ernährung angeschlossen ist, hört ihr leises Stöhnen auf. Sie scheint zumindest für den Moment keine Schmerzen zu haben.

»Besuchszeit ist von 18 bis 19 Uhr«, sagt Schwester Ruth. Wir begreifen, dass wir gehen sollen. Aber immerhin fragt sie noch nach unseren Namen und ob wir die einzigen Angehörigen sind.

»Ja«, sage ich.

»Habt ihr eine Telefonnummer, wo ihr erreichbar seid, wenn etwas ist?«, fragt sie weiter.

»Nein«, antwortet Nomtha tonlos. »Aber wir kommen zu Besuch, sooft wir können.«

Beide versuchen wir, uns an diesem schrecklichen Ort unsere Gefühle nicht anmerken zu lassen. Beim Hinausgehen schielen wir unauffällig links und rechts in verschiedene Zimmer, deren Türen alle offen stehen. Frauen jeden Alters, teilweise in noch viel schlimmerem Zustand als Mutter, liegen oder hocken auf ihren Betten. Die meisten scheinen zu schlafen, einige brabbeln wirres Zeug vor sich hin. Eine jüngere weiße Frau reißt an ihren langen blonden Haaren und schreit dabei etwas in einer Sprache, die wir nicht verstehen.

Als wir draußen sind, wird die Tür sofort wieder von innen abgeschlossen.

»Wo müsst ihr denn jetzt hin?«, fragt uns der Fahrer, der in seinem Wagen sitzt und sich offenbar auf den nächsten Einsatz vorbereitet.

Nomtha und ich schauen uns ratlos an.

»Wohin fahren Sie denn als Nächstes?«, frage ich zurück.

»Richtung Hauptbahnhof«, antwortet er.

»Das ist gut.«

Wir klettern stumm hinten in den Wagen und reden lange kein Wort miteinander.

Endlich spricht Nomtha aus, was mir schon die ganze Zeit im Kopf herumgeht: »Wir müssen Mutter unbedingt jeden Tag besuchen, Themba, egal wie weit es ist.« Und nach einem kurzen Innehalten: »Oder besser noch – wir holen sie da wieder raus. Aber wie?«

Stumm starren wir beide durch den Spalt im Fenster. Diesmal nehmen wir die aufregende bunte Innenstadt kaum wahr. Verzweifelt grübeln wir darüber, was wir nur tun können. Um Mutter aus diesem schrecklichen Hospiz herauszuholen, brauchen wir Geld. Aber wir haben keine Ahnung, wie viel. Und noch weniger wissen wir, wo wir das auftreiben sollen. Da habe ich eine Idee. Plötzlich weiß ich, was ich versuchen muss – jetzt oder nie!

»*Ndiza kuyenza*… ich werde es tun«, murmle ich leise vor mich hin.

»*Uthini* – was sagst du?«, fragt Nomtha.

Aber da sind wir schon am Bahnhof und steigen ganz in der Nähe der Bushaltestelle aus, an der wir vor mehreren Monaten angekommen sind.

»Wie viele Münzen hast du bei dir?«, frage ich Nomtha. Gemeinsam kramen wir hervor, was wir haben. Es wird reichen. Ohne zu zögern, gehe ich voraus in die große Wartehalle und auf die öffentlichen blauen Telefonapparate zu, die in der Nähe der Ticketschalter hängen. Ich nehme den Hörer ab und ziehe die kleine hellblaue Karte aus der Tasche, die ich damals im Unabhängigkeits-Stadion von Umtata erhalten habe und seither immer bei mir trage.

»Halt mal fest«, bitte ich Nomtha, damit ich eine Hand zum Wählen frei habe.

Es tutet nur kurz, dann höre ich eine Frauenstimme am anderen Ende der Leitung: »Büro von Mr Jacobs bei Ajax Cape Town. Was kann ich für Sie tun?«

Ich räuspere mich kurz und sage dann in meinem besten Englisch: »Kann ich bitte mit Mr Jacobs sprechen?«

»Wen darf ich melden?«, fragt sie.

»Themba Matakane«, gebe ich meinen vollen Namen durch. Aber sie scheint nicht zu verstehen.

»Wen?«

»Themba von den Lion Strikers aus Qunu!«

»Einen Moment bitte.«

Ich drücke den Hörer mit beiden Händen fest ans Ohr und nicke Nomtha aufgeregt zu.

»Jacobs, hallo?«

Jetzt bloß keinen Fehler machen. »Hallo, Mr Jacobs. Ich bin Themba, Sie haben mir Ihre Karte gegeben, beim Halbfinale der Jugendmeisterschaften im Ostkap letztes Jahr... Ich bin in Kapstadt und muss Sie unbedingt sprechen!«

Natürlich kann er sich nicht an mich erinnern. Wenn er bloß nicht gleich auflegt. Ich höre seinen schweren Atem am anderen Ende des Hörers und schiebe nach: »Ich habe damals kurz vor Schluss ein Tor geschossen... und Sie haben uns allen Fußballschuhe versprochen, wissen Sie noch?«

Einen Moment nichts. Dann ein dröhnendes Lachen am anderen Ende: »Schöner Zufall... erst letzte Woche hat meine Sekretärin die Schuhe auf den Weg geschickt. Tut mir Leid, dass es so lange gedauert hat.«

»Macht doch nichts«, rufe ich erleichtert, weil er sich nun endlich doch erinnert. Ich strahle Nomtha an. »Darf ich Sie in Ihrem Büro besuchen?«

»Nicht in meinem Büro«, entgegnet er. »Aber du kannst zu einem Training nach Parow kommen. Wann hast du Zeit?«

»Immer«, antworte ich, ohne nachzudenken, und füge zur Sicherheit hinzu: »Heute auch.«

Big John scheint in guter Stimmung zu sein. Seine tiefe Stimme behält ihren freundlichen Klang: »Dann komm mal gleich nachher um 16 Uhr. Ich werde auch da sein, und vielleicht fällt mir dann ja auch wieder ein, wer du bist.«

»Super! Danke, Mr Big... Mr Jacobs.«

Er lacht wegen meines Versprechers. »Und vergiss deine Sportsachen nicht!«

»Vielen Dank!«, sage ich noch mal, obwohl ich weder

Sportsachen noch eine Ahnung habe, wo das Trainingslager in Parow ist. Aber da hat er schon aufgelegt.

Ich wähle die Nummer noch einmal und bitte die Sekretärin, mir den Weg vom Hauptbahnhof zum Training in Parow zu beschreiben.

»Das ist am Conradie Drive«, erklärt sie geduldig, »gar nicht zu verfehlen. Wenn du aus der Stadt kommst, gleich hinter dem N1-City-Shopping Center. Vor der Sporthalle steht auf einer Steinmauer in großen Buchstaben das Wort *Ikamva*!« Ich wiederhole und Nomtha schreibt auf einem Zettel die Wegbeschreibung mit.

»*Ikamva*... die Zukunft!«, murmelt sie und unterstreicht das Wort noch einmal, als ich den Hörer schon eingehängt habe.

Die Zeiger der riesigen Bahnhofsuhr sagen mir, dass ich gerade noch gut eine Stunde habe, um nach Parow zu kommen. Mit Nomtha verabrede ich, dass sie schon mit der Bimmelbahn und dem Minibus zurück ins Township fährt, während ich mein Glück bei Big John allein versuchen will. Falls ich den letzten Zug nach Fish Hoek nicht mehr kriege, würde ich die Nacht über am Bahnhof schlafen und erst am nächsten Tag heimkommen.

»Viel Erfolg, Themba!«, ruft Nomtha, als sie sich zum Fahrkartenschalter aufmacht und ich mich bei der Information erkundige, wie ich am besten nach Parow komme.

Meine Glückssträhne scheint nicht abzureißen. Gleich hinter mir stehen zwei junge weiße Männer mit einem eigenartigen Akzent, die hören, wie ich mich nach dem Trainingsgelände von Ajax Cape Town erkundige. Sie bieten mir an, mit ihnen im Auto mitzufahren. Sie müssen einen Freund in der Nähe von Parow abholen.

»Bist du auch Ajax-Fan?«, fragt einer der beiden interessiert, als ich hinten bei ihnen im Wagen sitze.

»Ich weiß noch nicht«, antworte ich ehrlich und hoffe, dass sie mich jetzt nicht gleich wieder aussteigen lassen …

Tatsächlich fahren mich die beiden bis fast vor die Tür. Das Wort *Ikamva* und das Emblem von Ajax auf der Mauer sind bereits von der Straße aus gut erkennbar. Das Klubhaus ist ein beeindruckender Neubau, zu dem eine breite Treppe hinaufführt. Nach dem Aussteigen kann ich den Eingang zum Sportplatz erst nicht finden, aber schließlich entdecke ich ein eisernes Schiebetor, an dem mir jedoch ein Sicherheitsposten den Zugang versperrt und nach meinem Klubausweis fragt.

»Ich bin hier auf Einladung von Mr Jacobs«, sage ich mit fester Stimme und nenne meinen Namen.

»Moment mal«, brummt er und tippt ein paar Zahlen auf einer Art Haustelefon ein. Kurz darauf spricht er etwas in den Apparat an der Wand, lässt das Tor ein Stück weit aufgleiten und winkt mich dann hindurch: »Dahinten, gleich bei der ersten Sporthalle.«

Obwohl es noch vor 16 Uhr sein muss, sehe ich schon eine Gruppe Jungen in meinem Alter aus der Sporthalle auf das Feld davor laufen. Einige tragen die rotweißen Ajax-Trikots, andere normales Sportzeug, aber alle haben 1a Fußballschuhe. Insgesamt sind es bestimmt über dreißig Jungen.

Obwohl nirgends ein Trainer zu sehen ist, scheinen alle genau zu wissen, was sie zu tun haben. Sie stellen sich in Zweiergruppen auf und unterstützen sich gegenseitig beim In-die-Luft-Springen. Erst jetzt kommt ein junger Mann in einem viel zu weiten Trainingsanzug dazu. Er ruft etwas und alle bilden einen Halbkreis um ihn herum.

Ich bleibe etwas außerhalb stehen.

»Leute, ihr wisst, worum es heute geht«, sagt er. »Alle paar Wochen kommt Big John, um sich anzusehen, was wir dazugelernt haben. Und vielleicht den einen oder anderen mal in seinem A-Team mitspielen zu lassen. Also, zeigt, was ihr könnt!«

Noch immer keine Spur vom großen Meister. Aber umso mehr beeindruckt mich, was da in der nächsten Viertelstunde an Ballkunststücken vorgeführt wird.

Ein kräftiger Junge mit glatten dunklen Haaren kann den Ball nicht nur locker mehr als zwanzigmal ohne Unterbrechung mit der Stirn kicken, sondern auf Zuruf genau zu anderen Mitspielern in verschiedenen Abständen.

Ein eher dicklicher Junge umdribbelt wie im Slalom in hohem Tempo eine Strecke von gut dreißig Metern, auf der die unmöglichsten Hindernisse aufgebaut sind, ohne auch nur einmal den Kontakt zum Ball zu verlieren. Die anderen klatschen jeweils freundlich und ohne Neid Beifall.

Erst jetzt scheint mich der junge Trainer wahrzunehmen: »Suchst du jemanden?«

Einige drehen sich nach mir um. Was soll ich nur antworten, ohne gleich als Angeber dazustehen?

Ich setze zu einer Erklärung an, aber bevor ich etwas sagen kann, ruft plötzlich aus der Nähe der Sporthalle jemand: »Leute, er kommt!«, und alle Blicke fliegen in diese Richtung.

Big John steht in der Tür und winkt: »Sorry, hat länger gedauert im Büro. Hatte nicht mal Zeit, mich umzuziehen ...« Mehrere begrüßen ihn ehrfürchtig. Andere, wie ich, halten eher respektvoll Abstand.

Als er mich in meiner Straßenkleidung mit den alten Arbeitsstiefeln sieht, ruft er über alle Köpfe hinweg: »Bist du Themba?«

»Ja«, rufe ich zurück.

Er winkt mich zu sich heran, und während ich zu ihm laufe, spüre ich die Blicke aller anderen Jungen auf mir.

Ikhaya labantwana

Das Haus der Kinder

Big John gibt mir die Hand, als wären wir alte Bekannte. Dann mustert er mich kurz und sagt leise: »Da drüben in der Kiste liegen gebrauchte Schuhe und Trikots. Such dir da was raus und beeil dich!«

Während ich mich umziehe, ruft er den anderen zu: »Ich hab nur eine halbe Stunde Zeit. Keine Faxen! Ich will euch als Team spielen sehen. Zwei Mannschaften, zweimal fünfzehn Minuten. Der Neue kriegt einen Platz im Mittelfeld, mir egal bei welcher Elf.« Er nickt dem jungen Trainer zu, der eilig ein paar Hinweise zur Aufstellung gibt, mich einer der beiden Gruppen zuteilt und das Spiel anpfeift.

Die ersten fünf Minuten bewege ich mich schrecklich unbeholfen. Ich hatte keine Zeit, meine Muskeln aufzuwärmen, wie die anderen. Und wie viele Monate habe ich schon nicht mehr gespielt? Gleichwohl gewinne ich an Sicherheit, als ich zum ersten Mal spüre, wie sehr Fußballschuhe helfen, sich schnell zu bewegen oder scharf abzustoppen. Und die anderen Jungen sind richtig gut – kaum ein Pass, der nicht genau auf den Mann gespielt wird. Jedem ist klar, dass es nicht um die Zahl der Tore geht, sondern um die Leistung jedes Einzelnen. Während wir spurten, dribbeln, Pässe schießen, angreifen oder eine stabile Verteidigung aufbauen, steht Big John ruhig am Spielfeldrand und beobachtet. Ab und zu zieht er ein Fernglas aus seiner Jackentasche und folgt dem einen oder anderen von uns eine Weile genauer. Als die zweimal fünfzehn Minuten gespielt sind, ruft er uns zu: »Tut mir Leid, Jungs, ihr müsst noch eine Viertelstunde weiterspielen. Ich will mir ein paar von euch noch genauer anschauen.«

Natürlich murrt keiner, im Gegenteil. Solches Interesse kann nur Gutes bedeuten. Hat er eventuell sogar schon einen oder zwei der Jungen für sein A-Team im Auge?

Nachdem auch diese Runde abgepfiffen ist, laufen wir, nass geschwitzt und die meisten noch außer Atem, auf ihn zu. »Schön«, sagt er kurz. »Ich sehe Fortschritte. Zwei von euch kommen morgen um zehn Uhr zum Training.« Er zeigt auf einen der Stürmer und einen Verteidiger. Ich bin beeindruckt, dass er offensichtlich die meisten beim Vornamen kennt: »Brad und Lungelo – ihr kommt morgen früh zu meinem Team.« Alle andern klatschen den beiden Auserwählten Beifall, auch ich. Bevor er sich umdreht, um zurück in die Sporthalle zu gehen, winkt er mir zu: »Themba, komm eben zu mir.«

Während sich die anderen erschöpft auf den Rasen fallen lassen, renne ich hinter ihm her. Am Eingang zur Halle streife ich erst die Fußballschuhe ab und laufe dann barfuß auf ihn zu.

»Warum hast du mich angerufen?«, fragt er ohne Umschweife.

Ich setze alles auf eine Karte: »Meine Mutter ist hier in Kapstadt sehr krank geworden. Darum bin ich schon eine Weile nicht mehr in Qunu. Ich muss unbedingt irgendwo Geld verdienen, um ihr helfen zu können.« Ich schaue ihn kurz an, um zu sehen, ob er noch zuhört. »Ich wollte fragen, ob Sie irgendeinen Job für mich haben. Ganz egal was. Ich kann Ihr Auto waschen oder in Ihrem Garten Gras mähen oder …«

Er unterbricht mich und sagt ohne jede Gefühlsregung: »Ich habe keinen Job für dich.«

Plötzlich komme ich mir vor wie ein Vollidiot. Was habe ich mir da bloß eingebildet zu glauben, der große Big John könnte einen Job für mich haben. Ausgerechnet. So naiv kann ja wohl nur so ein Provinzler vom Lande sein, wie ich es bin. Völlig bekloppt.

Ich murmle leise: »Sorry ...«, und wende mich ab, um die Halle zu verlassen. Doch er hält mich am Arm fest.

»Ich habe keinen Job, Junge, weil ich will, dass du ab jetzt bei uns Fußball spielst. Jeden Tag, nichts anderes, nur trainieren, trainieren, trainieren! Drei Monate lang. Dann will ich dich wiedersehen. Einverstanden?«

Mir klappt die Kinnlade herunter und ich stehe vor ihm wie betäubt. Kein vernünftiges Wort kommt aus mir heraus, aber er wartet die Antwort gar nicht ab. Mit Widerspruch scheint er nicht zu rechnen.

»Okay«, sagt er, und zum ersten Mal sehe ich ein Lächeln auf seinem Gesicht. »Für heute gehst du da rüber ins Büro und füllst ein paar Formulare aus. Dort erfährst du deine täglichen Trainingszeiten und alles andere.« Dann zieht er eine Brieftasche hervor und gibt mir drei Hundertrandscheine. »Ab nächste Woche bekommst du ein regelmäßiges Taschengeld von uns, noch keine richtige Gage, aber besser als nichts. Das hier ist ein Vorschuss für dich und deine Mutter.«

»Und meine Schwester ...«, sage ich strahlend. Endlich habe ich meine Sprache wieder gefunden.

»Mach damit, was du willst«, entgegnet Big John und klopft mir kurz auf die Schulter. »Wenn du nur gut Fußall spielst, alles andere ist deine Sache.«

Damit wendet er sich ab und beginnt, eine Nummer in sein Handy einzutippen. Ich gehe hinaus zu den anderen Jungen, die sich noch immer auf dem Rasen ausruhen, und verabschiede mich auch von dem jungen Trainer: »Ich darf wieder kommen!« Er nickt und reicht mir die Hand: »Ich bin Kevin! Glückwunsch, Themba!«

Einige von den andern strecken mir den erhobenen Daumen zum Gruß zu.

Im Büro gibt mir eine Sekretärin ein paar Formulare und hilft mir sogar beim Ausfüllen. Ich wage nicht zu fragen, wie hoch das Taschengeld sein wird. Die drei Banknoten in meiner Tasche sind mehr, als ich je in meinem Leben auf einen Schlag verdient habe.

»Du gehst morgen Mittag erst zu unserem Vereinsarzt und bekommst dann auch eine Grundausstattung des Jugendteams, Trikot, Trainingsanzug, Schuhe und das alles.« Noch einmal überprüft sie, ob alles richtig ausgefüllt ist, und zeigt dann auf eine freie Linie auf dem ersten Blatt: »Hier muss einer von deinen Eltern unterschreiben!«

Ich sage nichts von meiner kranken Mutter und meinem verschwundenen Vater. Nichts kann mich jetzt mehr aufhalten. Ich danke ihr und frage nur noch nach der nächsten Minibushaltestelle.

Dort muss ich eine Weile auf einen Bus nach Bellville warten, aber das macht nichts. Ich darf das Hospiz ohnehin erst wieder ab 18 Uhr betreten. Auf einem kleinen Markt in der Nähe kaufe ich ein paar Blumen und Hautcreme für Mutter, Seife, zwei Handtücher, Brot und Obst für Nomtha und mich.

Als ich beim Hospiz ankomme, steht das Gittertor bereits offen, und ein paar Besucher gehen zu den verschiedenen Baracken. Auch die Holztür von Baracke sieben ist nicht mehr verschlossen, und als ich eintrete, sehe ich Schwester Ruth, die offensichtlich kontrolliert, wer kommt und dass niemand unerlaubt hinausgeht.

»Vorhin war eure Mutter wach«, ruft sie mir freundlich zu.

Eine gute Nachricht! So schnell ich kann, laufe ich zu Mutters Bett, das noch an der gleichen Stelle auf dem Flur unter dem großen Fenster steht. Sie hat die Augen geschlossen, aber ihr Gesicht ist entspannt, und jemand hat ihr die Haut frisch eingecremt.

»Mama?«, frage ich dicht an ihrem Ohr. Sie reagiert nicht. Aber sie ist ruhig, keine Atemnot. Ob sie mich hören kann? Ich nehme eine ihrer mageren, kühlen Hände und beginne, ihr ganz leise von diesem Tag zu berichten. »Du brauchst dir keine Sorgen zu machen, ich werde Geld verdienen – als Fußballer bei Ajax Cape Town!«

Ihre Hand zuckt leicht und wird warm. Ich ziehe das Formular aus meiner Hosentasche und fälsche ihre Unterschrift in der entsprechenden Spalte. Dann will ich Mutter waschen, wie wir es auch in letzter Zeit im Township regelmäßig getan haben, und sehe, dass auch dies bereits von jemandem sorgfältig erledigt worden ist. Ich bin erleichtert, dass sich unser erster negativer Eindruck nicht zu bestätigen scheint. Bestimmt ist es auch nicht leicht, jeden Tag hier zu arbeiten.

Die kurze Besuchszeit geht zu Ende, ohne dass Mutter noch einmal wach geworden ist. Die Hälfte der mitgebrachten roten und gelben Rosen stelle ich in ein Glas auf das Fensterbrett neben Mutters Bett. Die andere Hälfte überreiche ich beim Hinausgehen Schwester Ruth.

»Ach, Junge«, sagt sie mit einem dankbaren Lächeln, »ihr habt doch selbst nichts.« Mit einem Augenzwinkern fügt sie hinzu: »Jede zweite Woche hat Oberschwester Agnes, die ihr heute Vormittag erlebt habt, Dienst im Hauptgebäude. Dann könnt ihr auch mal tagsüber kommen.«

Der Rückweg von Bellville bis nach Masiphumelele ist eine halbe Weltreise. Es ist längst dunkel, als ich am Hauptbahnhof ankomme. Dort erfahre ich, dass um diese Zeit keine Züge mehr Richtung Süden fahren. Aber ich will um jeden Preis noch in dieser Nacht zurück zu Nomtha und meine guten Nachrichten mit ihr teilen. Beim Busbahnhof spreche ich mehrere Reisende an, die gerade angekommen sind, um zu fragen, ob mich jemand in Richtung Süden mitnehmen kann. Über eine Stunde habe ich kein Glück. Dann endlich treffe ich einen älteren Mann, der aus Simon's Town kommt und hier Arbeitskollegen mit einem Transporter abholt. Der Weg nach Simon's Town führt über Fish Hoek.

»Du kannst hinten auf die Ladefläche klettern«, sagt er und fordert keine Bezahlung.

Außer mir springen noch sechs oder sieben andere Männer auf, die gerade mit einem Bus aus dem Norden des Landes eingetroffen sind. Obwohl es am Tage richtig heiß war, weht jetzt ein kühler Wind, der immer mehr auffrischt, je näher wir dem Meer kommen. Die anderen Männer ziehen ihre Jacken über den Kopf. Ich habe nur mein T-Shirt an und lege mich so flach wie möglich auf den Boden des offenen Lasters. Nach einer Weile spüre ich vor Kälte meine Finger kaum noch. Das Einzige, was du tun kannst, wenn du zu sehr frierst oder Hunger hast, ist, dich selbst zu betäuben, dich halb tot zu stellen, ähnlich wie die Leguane und Eidechsen es machen. Nach einer Weile nehme ich kaum noch etwas um mich herum wahr. Nur ein einziger Befehl geht von meinem Gehirn an meine erstarrten Finger: festhalten! Nicht locker lassen, sonst tut es bei jedem Schlagloch noch mehr weh! Irgendwann wird es vorbei sein!

Tatsächlich bremst der Laster nach einer Zeit, deren Dauer ich nicht einschätzen kann. Der Fahrer kurbelt sein Fenster herunter und schreit nach hinten: »Fish Hoek!«

Ich richte mich mühsam auf und klettere mit steifen Gliedern vom Wagen. Meine Beine versagen und ich falle einfach der Länge nach flach auf den Gehweg. Der Fahrer hat den Motor seines Lasters schon wieder aufheulen lassen und ist durchgestartet. Für einen Moment ist es richtig angenehm, einfach so am Straßenrand zu liegen, ohne das heftige Rumpeln und den eisigen Sturm. Allmählich beginnt das Blut wieder in meinen Armen und Beinen zu pochen. Ab und zu kommen Autos, die in Richtung des Townships fahren, aber niemand hält, als ich meinen Daumen in das Licht der Scheinwerfer halte, nicht um diese späte Zeit.

Schließlich bleibt mir nur der lange Fußmarsch, noch einmal knapp eine Stunde durch die Nacht. Die letzten zwei Kilometer ziehe ich meine Arbeitsstiefel aus, die schrecklich zu drücken beginnen, und laufe ungeachtet der Kälte barfuß weiter.

Die meisten Hütten im Township sind dunkel, hier und da kläfft ein Hund. In unserem Teil der Wetlands gibt es keine einzige Straßenlaterne und der Mond ist hinter dichten Wolken verschwunden. Aber inzwischen finde ich den Weg zu unserem *Shack* 8744 auch blind. Die Tür ist von innen verriegelt.

»Nomtha?«, rufe ich leise und klopfe ein paarmal gegen das Holz.

Augenblicklich wird geöffnet und ich kann trotz der Dunkelheit Nomthas erleichtertes Lächeln erkennen: »*Bendingalelanga* – ich habe nicht geschlafen, Themba. Ich wusste, du würdest noch kommen!«

Ich vermute, dass sie kein Licht gemacht hat, um Geld zu sparen. Aber jetzt zünde ich eine Kerze an, nachdem wir die Tür wieder sorgfältig verriegelt haben.

»Ich war noch mal bei Mama«, beginne ich meinen Bericht. »Sie hat geschlafen und war gut versorgt. Nächste Woche können wir auch tagsüber vorbeikommen.«

Dann öffne ich meine Plastiktüte und gemeinsam stärken

wir uns mit frischem Brot, Äpfeln und Orangen. Nomtha sieht auch die Handtücher und das Stück Seife, wartet aber geduldig, bis ich beginne, von meinem Besuch im Trainingslager von Ajax Cape Town zu erzählen. Wie ich mitspielen durfte und am Ende das Topangebot von Big John bekam. Während ich rede, rückt sie immer dichter an mich heran.

Da uns immer noch kalt ist, rutschen wir hinüber auf Mutters Matratze und ziehen uns die große Decke bis ans Kinn.

Nomtha lässt mich reden. Sie merkt, dass es mir Freude macht, mehr und mehr Details auszumalen von meinem Nachmittag bei den jungen Fußballern des berühmten Erstliga-Klubs. Ich schildere ihr die Kopfballkunststücke des Jungen mit den langen dunklen Haaren und wie der dicke Junge überhaupt nicht langsam, sondern der absolute Dribbelkönig war.

Irgendwann komme ich zu der Stelle, an der Big John seine Brieftasche zog. Ich taste in meiner Hosentasche nach dem vielen Geld, das nach den paar Einkäufen immer noch übrig geblieben ist, und krame es stolz unter der Bettdecke hervor, um es Nomtha zu zeigen.

»Aber ich glaube dir doch!«, sagt sie lachend und will meine Hand zurück unter die Decke schieben. Nun will ich es ihr aber erst recht zeigen – die zwei Riesen und all die kleineren Scheine und Münzen. So viel Geld! Ich wühle es gegen ihren gespielten Widerstand hervor, halte alles mit gestrecktem Arm über uns und lasse es wie im Märchen auf uns herabregnen. Sie schnappt sich ein paar Münzen, die in ihrem Haar hängen geblieben sind, und wirft sie zu mir zurück. Während ich sie mit einem Arm fest an mich drücke, werfe ich mit der anderen Hand wieder in ihre Richtung. Ausgelassen lachen und toben wir, bis uns tatsächlich warm ist und wir uns ermattet zurückfallen lassen.

Und dann sagt sie plötzlich etwas in mein Ohr, was ich

niemals auszusprechen gewagt hätte: »*Ndiyakuthanda*, Themba ... ich liebe dich.«

Einen Moment erstarre ich vor Glück, halte den Atem an und verharre bewegungslos, als könnte ich damit auch die Welt anhalten. In diesem Moment, als Nomthas Lachen noch in meinem Ohr klingt und ihre Worte sanft und tief in meiner Seele nachschwingen, empfinde ich zum ersten Mal seit jener schrecklichen Nacht wieder so etwas wie Glück. Nein, noch nicht Glück, aber die Hoffnung auf Glück. Dass irgendwann alles wieder gut werden kann. Dass alles heilen wird, eines Tages, wenn wir nur lieben können.

Nomtha dreht ihren Kopf zur Seite und zieht die Decke wieder zu sich heran. »Lass uns jetzt schlafen, ja?«, murmelt sie, während sie mir den anderen Teil der Decke zuschiebt. Ihre Stimme klingt müde. Bestimmt ist es lange nach Mitternacht.

»*Lala kakuhle,* Nomtha – schlaf gut«, flüstere ich zurück und schiebe das obere Ende der Decke bis über ihre Schulter. Im leicht flackernden Kerzenlicht beobachte ich, wie sie noch einmal tief einatmet und erst beim Ausatmen völlig entspannt. Sie vertraut mir. Sie hat mir die ganze Zeit vertraut.

Noch lange schaue ich in ihr Gesicht, mein Blick streicht über ihre geschlossenen Augen, tastet über ihre feinen Wimpern. Schon lange sind wir keine Kinder mehr. Wir werden es schaffen. Ich beuge mich leicht über sie und puste vorsichtig die Kerze aus.

Wir schlafen so tief und ruhig wie in keiner der vielen Nächte zuvor, seit wir in diesem Township angekommen sind.

Die Sonne wirft bereits einen schmalen, aber grellen Strahl durch eine Ritze in der Wand, als wir uns gleichzeitig zu räkeln und aus einer engen Umarmung zu lösen beginnen. Ein kleiner Schatten huscht mehrmals direkt vor unserer Tür vorbei. Ich streife mir eine Hose über und öffne einen Spalt. Unsere kleine Nachbarin Nelisa steht davor und schaut neugierig zu mir auf.

»Geht es eurer Mutter wieder besser?«

»Ja«, versichere ich ihr. »Sie wird gut versorgt, wo sie jetzt ist.«

Und Nelisa fügt hinzu: »Meine Mutter hat nämlich nach ihr gefragt.«

Ob das ein erstes gutes Zeichen ist?

Ich trete einen Schritt vor unser *Shack* und schaue hinüber zu Nelisas Hütte. Die Sonne blendet, aber als ich die Hand über meine Augen halte, kann ich Nelisas Mutter erkennen, wie sie sich über eine Plastikschüssel mit Wäsche beugt. Sie schaut nun ebenfalls zu mir herüber. Dann hebt sie ihre rechte Hand und winkt. Nelisa nickt mir zu und ich winke ihrer Mutter zurück. Wie gut diese einfache Geste tut. Bisher hat sie uns nicht einmal gegrüßt.

Nomtha rufe ich zu: »Nelisas Mutter hat uns gewunken!«

»Ja«, antwortet Nomtha aus dem Innern. »Sie war es, die mich gestern mitgenommen hat zum *Ikayha labantwana* gleich hinter der Tagesklinik.«

»Wohin?«

»Zu einem Haus nur für Kinder«, antwortet Nomtha. »Sie hat dort frisches Gemüse geholt. Die Leute haben einen großen Garten und teilen, wenn sie mehr ernten, als sie selbst verbrauchen. Wie bei uns zu Hause in Qunu.«

»Was denn für Kinder?«, frage ich nach. Nomtha scheint um etwas drum herum zu reden.

Anstatt es mir zu erklären, sagt sie: »Ich habe gefragt, ob sie jemanden brauchen können, der im Garten mithilft, gerade jetzt während der Erntezeit. Und sie haben Ja gesagt. Komm, wasch dich und zieh dich an, dann nehm ich dich mit.«

Ich schaue zuerst auf meinen Trainingsplan: Kein Problem, ich muss mich erst gegen Mittag wieder in Parow melden, hat die Sekretärin gesagt. Und das Training für die Jugendmannschaften beginnt um 16 Uhr. Tagsüber wird es nicht so lange dauern, dorthin zu gelangen. Mehr Kopfzerbrechen bereitet mir die Frage, wie wir abends aus Bellville zurück nach Masiphumelele kommen sollen, wenn wir jede zweite Woche tatsächlich nur zur Besuchszeit ab 18 Uhr ins Hospiz dürfen. Vielleicht ist es an der Zeit, dieses Township hier zu verlassen und in ein anderes weiter im Norden der Stadt zu ziehen.

»Warte doch erst mal die drei Monate ab«, meint Nomtha.

Dann machen wir uns auf zum Kinderhaus, das in einer ruhigen Seitenstraße hinter der Tagesklinik liegt. Nur deshalb ist es uns wohl noch nicht aufgefallen, denn es ist ein unübersehbar großes Steinhaus mit einem Spielplatz und einem großen Garten davor. Als wir uns nähern, sehen wir einen jungen Mann im Garten arbeiten, den Nomtha noch von gestern erkennt: »*Molo*, Lebo!«

»*Molo*, Nomtha, willst du helfen?«, fragt er freundlich zurück und stützt sich auf einen Spaten. Neben ihm stehen zwei Jungen von höchstens vier oder fünf Jahren und jeder hält eine große Mohrrübe in der Hand. Obwohl das Gemüse noch voller Erde ist, knabbern beide begeistert darauf herum.

»Ja, gern«, antwortet sie. »Darf ich vorher noch meinem Bruder euer Haus zeigen?«

»*Wamkelekile* – willkommen«, begrüßt Lebo nun auch mich. »Die größeren Kinder sind noch im Kindergarten oder in der Schule und die Kleinen schlafen. Am besten sprichst du erst mal mit einer der Frauen im Haus.«

Nomtha geht sicheren Schritts voraus, als wäre sie schon oft hier gewesen. Durch eine Seitentür kommen wir zuerst in eine Küche, in der auf einem Herd in zwei großen Töpfen etwas angenehm Duftendes gekocht wird. In dem Moment tritt aus einer Art Speisekammer eine rundliche Frau etwa in Mutters Alter und begrüßt erst Nomtha und dann mich: »Na, hast du tatsächlich deinen Bruder mitgebracht?«

»Er wollte es selbst«, antwortet Nomtha.

»Ich bin Mama Sandiswa«, sagt die Frau, gibt mir die Hand und fügt erklärend hinzu: »Es gibt immer noch Männer in Masiphumelele, die mit dem Kinderhaus nichts zu tun haben wollen.«

Ich blicke mich einmal kurz um und sehe einen geräumigen Flur, von dem mehrere kleine Zimmer abgehen. Eine Wand ist vom Fußboden bis zur Decke mit lauter bunten Tierbildern bemalt. Durch eine offen stehende Tür sehe ich mehrere kleine Bettchen, aus denen das sanfte Schnarchen von Babys zu vernehmen ist.

Bevor ich fragen kann, warum das Kinderhaus von manchen abgelehnt wird, fährt Mama Sandiswa fort: »Aber das wird sich ändern, es ist nur eine Frage der Zeit. Irgendwann wird niemand mehr AIDS ignorieren können.«

»AIDS?«, frage ich erstaunt.

Das Haus sieht nicht aus wie ein Krankenhaus, und die beiden Kleinen, die mit Lebo im Garten arbeiten, wirken ganz bestimmt nicht krank.

»Ja«, sagt Mama Sandiswa. »Alle unsere Kinder sind auf die eine oder andere Weise von AIDS betroffen. Entweder weil sie selbst infiziert wurden, zum Beispiel bei der Geburt, oder weil ihre Eltern sich nicht mehr um sie kümmern können, weil sie zu krank oder schon gestorben sind.«

»Und wo kommen die Kinder her?«, will ich wissen. Keiner unserer Nachbarn in den Wetlands hat je von Kindern mit AIDS gesprochen. Schon bei Mutter haben sie so ein Theater gemacht.

»Die kommen alle aus Masiphumelele«, antwortet Mama Sandiswa. »Sie und ihre Eltern. Und auch wir, die wir hier arbeiten. Leute aus dem Township haben gemeinsam mit Leuten von außerhalb das Kinderhaus geplant und gebaut. Und alle, die heute hier arbeiten, leben in Masiphumelele.«

Das gibt es also tatsächlich. Nicht nur Einzelne wie unsere frühere Nachbarin Mama Zanele oder Andys Mutter, die offen über die Krankheit sprechen – sondern Menschen, die etwas tun. Ganz normale Township-Bewohner wie Lebo, der Gärtner, oder Mama Sandiswa. Ob Nomtha ihnen von unserer Mutter erzählt hat?

Bevor ich fragen kann, kommen ein Junge und ein Mädchen in Schuluniform durch die Küchentür hereingerannt. »Können wir uns Brot nehmen?«, fragt das Mädchen, das vielleicht zehn oder elf ist.

»Es liegt für euch im Kühlschrank«, antwortet Mama Sandiswa.

Die beiden holen sich ihre Pausenbrote und laufen gleich wieder hinaus.

»Sie sind noch nicht lange bei uns«, sagt Mama Sandiswa schmunzelnd. »Sie vergessen ständig irgendwas. Aber immerhin gehen sie jetzt zum ersten Mal überhaupt zur Schule.«

Nomtha, die den beiden durchs Küchenfenster hinterhergeschaut hat, fragt: »Sind sie vorher noch nie in der Schule gewesen?«

Mama Sandiswa schüttelt den Kopf: »Nein, sie haben sich nur um ihre kranke Mutter gekümmert, bis zu deren Tod vor wenigen Wochen. Es ist ein Wunder, wie sie das in ihrem

Alter geschafft haben. Sie haben länger als ein Jahr durchgehalten.«

»Ich habe auch einen Freund, der seine Mutter bis zu deren Tod gepflegt hat und noch immer allein für seine jüngeren Geschwister sorgt«, sage ich leise. Wenn ich nach drei Monaten fest bei Ajax Cape Town bleiben kann, werde ich Sipho einladen, mit seinen Geschwistern herzukommen.

»Sind die Kinder selbst auch infiziert?«, fragt Nomtha weiter.

»Das ist vertraulich. Wir geben keine Auskünfte über einzelne Kinder, um ihre Rechte zu schützen«, entgegnet Mama Sandiswa. »Manche unserer Kinder sind HIV-positiv, andere nicht. Einige sind bei der Geburt angesteckt worden, da die Mütter keine Medikamente genommen haben oder keine bekommen konnten. Zwei Kinder wurden durch einen Onkel vergewaltigt und dadurch infiziert.«

»Wie kann ein Mann so was nur tun?«, sagt Nomtha empört zu Mama Sandiswa.

Ich schaue weg und hoffe, dass keiner von beiden merkt, wie sehr mein Herz klopft und dass sich Schweißtropfen auf meiner Stirn bilden, wie immer, wenn ich an damals denken muss.

Isigqibo
Die Entscheidung

Sieben Monate später. Ich habe es geschafft.

Frag mich nicht, wie. Ich bin kein Wunderkind. Kein geborener Supersportler. Du weißt es, Andile. Ich bin gerade siebzehn geworden. Und ich spiele gern Fußball – das ist der Kern. Nicht alles, natürlich ist es auch jede Menge harte Arbeit, stundenlanges Training jeden Tag, aber das ist das Wichtigste: dass man etwas gern macht.

»*Ihlathi leentonga*… ein Wald voller Holz«, würde Tatomkhulu sagen, und das bedeutet: Du hast genug Vorrat an Kraft, wenn du etwas mit ganzem Herzen machst. Als ich noch auf dem Land wohnte, waren die Stunden mit Sipho, Andy und den anderen von den Lion Strikers die schönsten in meinem Leben. Dass ich es fast ganz nach oben schaffen würde, daran habe ich selbst bis zuletzt nicht geglaubt. Dafür haben andere an mich geglaubt: Mr Jacobs (den ich früher wie alle nur Big John nannte), Kevin, mein erster Profitrainer, Nomtha natürlich, Sipho… und seit kurzem auch du, Andile. So viel ist in diesen sieben Monaten geschehen.

Drei Monate, nachdem ich zum ersten Mal im *Ikamva*-Trainingslager war, kommt Big John, anders als sonst, ohne jede Vorankündigung zu einem Training. Auch Kevin, unser Jugendcoach, hatte vorher keine Ahnung. Er steht einfach so am Spielfeldrand, ganz ruhig und nur ab und zu mit dem berühmten Fernglas vorm Gesicht.

»Der beobachtet dich!«, ruft mir Kevin zu, als ich dicht an ihm vorbeilaufe, um einen Pass abzufangen. Ich lache und bin mir nicht sicher, ob ich ihn überhaupt richtig verstanden habe.

An diesem Nachmittag soll ich zu Big John kommen. Allein.

»Themba«, sagt er, ohne sich lange mit einer Begrüßung aufzuhalten. »Ich will, dass du bei uns bleibst. Du wirst ab jetzt auch bei einigen Trainings meines Teams mitmachen. Und ich möchte, dass du Andile Khumalo kennen lernst.«

»Andile Khumalo?«, wiederhole ich ungläubig. Ich traue meinen Ohren nicht und stehe da mit offenem Mund.

Lach nicht, Andile! Du weißt, wie sehr alle Jungen – die Mädchen sowieso – zu dir aufschauen. Du spielst nicht nur in der Ersten Liga, du bist der absolute Topspieler: Nationalmannschaft, *Bafana Bafana*, einer der besten Spieler von ganz Südafrika. Wieso sollte ausgerechnet ich die unglaubliche Ehre haben, dich treffen zu dürfen?

Big John geht auf meine pathetische Bewunderung nicht weiter ein, sondern erklärt nüchtern: »Andile hatte einen ähnlichen Stil wie du, als ich ihn vor acht Jahren das erste Mal in East London spielen sah, genauso schnell, genauso treffsicher und damals noch genauso ungehobelt im Aufbau eines Angriffs wie du. Ich kann mich irren, aber ich glaube, er kann dir zeigen, wie er gelernt hat, was er heute kann. Bei *Bafana Bafana* machen sie es inzwischen genauso wie bei uns: Ein erfahrener Spieler wird eine Art Pate für einen Jüngeren. Du wirst Andile nächste Woche das erste Mal im Newlands Stadion treffen, bei einem Freundschaftsspiel gegen Ghana.«

Inzwischen habe ich nur noch eine Sorge: Dass dies alles

nur ein schöner Traum sein könnte, aus dem mich jeden Moment ein kläffender Hund oder ein betrunkener Nachbar aufwecken wird. Aber John Jacobs ist noch nicht fertig: »Du wirst ab nächsten Monat genug Geld verdienen, um irgendwo hier in die Nähe ziehen zu können. Mit der ganzen Fahrerei, von der mir Kevin erzählt hat, geht einfach zu viel Zeit verloren. Unser Jugendhaus kommt für dich nicht mehr infrage, außerdem willst du ja wohl mit deiner Schwester zusammenwohnen, nicht?«

Ich sage kein Wort. Ich brauche meine gesamte Konzentration, um zu begreifen, dass das hier wirklich passiert, dass ich nicht aufwachen werde, sondern hellwach bin und lebe. Ich lebe! Und ich habe nur einen Wunsch: es so schnell wie möglich Nomtha zu erzählen. Und natürlich Mutter, auch wenn wir nicht immer sicher sind, wie viel sie noch hören und verstehen kann. Aber sie lebt noch immer, länger als Sister Princess damals vermutete – und sie kann fühlen. Die Wärme der Sonnenstrahlen vom Fenster neben ihrem Bett. Oder das weiche Kissen, mit dem wir ihr den Kopf abstützen, damit sie etwas mehr von ihrer Umgebung sehen kann als nur die weiß gekalkte Decke über sich. Und uns beide fühlt sie, wenn wir neben ihrem Bett sitzen und ihre Hand halten. Sie kann es zwar nicht mehr so deutlich zeigen, aber sie fühlt es ganz sicher.

Mithilfe von Schwester Ruth hat sie ein kleines Zimmer am Ende von Baracke sieben bekommen, wo es ruhiger ist. Nur noch drei andere Frauen teilen den Raum mit ihr, die ebenfalls meistens schlafen. Nomtha und ich haben durchgesetzt, dass sie ihre eigenen Nachthemden tragen darf, die ich von meinem ersten richtigen Lohn gekauft habe. Und auf einem kleinen Nachttisch neben ihrem Bett stehen zwei Fotos – eines in einem einfachen Holzrahmen, das wir von Nomtha und mir am Bahnhof haben machen lassen. Das andere von Vater im Silberrahmen, den Nomtha einmal pro Woche mit einem Taschentuch blank putzt. Manchmal hat Mutter länger als eine Stunde die Augen offen, und wenn wir eines der Fotos vor ihr Gesicht halten und es langsam bewegen, folgt ihm ihr Blick.

Mutter ist immer froh, wenn wir da sind. Da bin ich ganz sicher, auch wenn sie es nicht mehr sagen kann. Eine Entzündung hat ihre Stimmbänder für immer beschädigt und durch eine Lähmung wichtiger Muskeln an Kopf und Nacken haben sich ihre Gesichtszüge zu einer Maske versteift. Aber sie kann noch fühlen. Und ihre Augen freuen sich mit uns, wenn wir etwas Schönes zu berichten haben. Oder auch nur, wenn wir einfach da sind.

Wie ich es mir vorgenommen habe, schreibe ich nach der Zusage von John Jacobs gleich an Sipho und überweise ihm Geld auf eine Bank in Umtata. Einen Teil davon wird er Tatomkhulu bringen und vom Rest Bustickets kaufen.

Drei Wochen später holen Nomtha und ich ihn mit Jabu, Jama und der kleinen Nosipho vom Busbahnhof ab.

Sipho ist barfuß wie ich damals, als er aus dem Bus klettert. Mir fällt auf, dass er ein bisschen hinkt, aber ich schiebe es auf das lange Stillsitzen im Bus. Wir umarmen uns, ganz lange, sodass die anderen Leute schon anfangen, uns komisch anzustarren.

Erst später am Abend beginnen wir zu erzählen. Sipho berichtet, wie ihm Mama Zanele tatsächlich geholfen hat, seine Mutter zu begraben. Und dass sie und Tatomkhulu die Gebete gesprochen haben. Die Lion Strikers haben inzwischen einen eigenen Trainingsplatz in einer neuen High School in Qunu, Sipho selbst hat sich aber nach einer Beinverletzung auf einer Baustelle, die lange nicht gut heilen wollte, ziemlich zurückgezogen. Deshalb hinkte er auch, als er aus dem Bus stieg.

»Meine Fußballschuhe, die damals aus iKapa in einem großen Paket bei Andys Vater ankamen, habe ich aber noch!«

Er lächelt, als wolle er meine Sorgen wegen seiner Verletzung zerstreuen. Mein erster Eindruck hat mich leider nicht getäuscht: Sipho zieht wirklich sein linkes Bein leicht nach.

»Tatomkhulu passt jetzt auch auf unsere Hütte auf«, fährt Sipho fort. Weder er noch der Großvater haben anfangs glauben können, was in meinen letzten beiden Briefen stand – dass ich einen Vertrag bei Ajax Cape Town bekommen habe und all das. Aber Sipho war sicher, dass ich ihn nicht belügen würde.

»Außerdem hättest du dann ja kaum so viel Geld schicken können«, meint er. Damit hat er dann auch Tatomkhulu überzeugt.

Und schließlich ist Sipho mit seinen drei Geschwistern im Schlepptau aufgebrochen.

Die ersten Nächte schlafen wir zu sechst in unserem winzigen *Shack*, ganz dicht nebeneinander, wie Sardinen in der Dose. Aber dann gibt es mal wieder eins dieser höllischen Unwetter – ohne Vorwarnung fünf Stunden nur Sturm und Regenwasser wie aus Kübeln. Der reinste Weltuntergang. Danach steht alles gut zehn Zentimeter unter Wasser. Siphos Geschwister dürfen ab dann im Kinderhaus schlafen, wo Nomtha inzwischen jeden Nachmittag beim Saubermachen und Beaufsichtigen der Kleinen hilft. Es ist keine richtige Arbeitsstelle, aber sie bekommt etwas Taschengeld, kann dort abends mitessen und lernt viel über Kinderpflege.

»Und dass Menschen mit AIDS nicht zu sterben brauchen, wenn sie rechtzeitig die richtigen Medikamente bekommen«, erklärt sie Sipho.

Ich habe gar nicht gewusst, dass sie bei den Besprechungen mit der betreuenden Ärztin aus der Tagesklinik, die einmal pro Woche gemeinsam mit Sister Princess kommt, dabei sein darf.

Kevin, unser Jugendtrainer, sorgt nach der Überschwemmung dafür, dass Nomtha, Sipho und ich für ein paar Tage in einem leer stehenden Gärtnerhaus neben dem großen *Ikamva*-Gebäude in Parow unterkommen.

»Bis ihr etwas Eigenes gefunden habt«, sagt er.

Der Wachmann weiß Bescheid und lässt uns auch abends noch auf das Gelände, wenn das Eingangstor bereits abgesperrt ist.

An einem Abend, als es schon spät ist und wir drei uns zum Einschlafen bereits in unsere Decken gerollt haben, fragt Nomtha plötzlich in die Dunkelheit: »Sipho, was ist eigentlich aus unserem Onkel Luthando geworden?«

Mit einem Schlag bin ich wieder hellwach. Natürlich habe ich auch an ihn gedacht, aber um keinen Preis der Welt hätte ich Sipho von selbst nach ihm gefragt.

Sipho dreht sich zu uns auf die Seite, räuspert sich kurz und antwortet dann: »Ich bin nie mehr bei eurer Hütte gewesen. Aber von Mama Zanele weiß ich, dass er seit einiger Zeit immer wieder krank ist und dann tagelang nicht herauskommt. Euer Großvater und er reden kein Wort mehr miteinander. Irgendeiner von seinen Saufkumpanen kommt ab und zu und bringt ihm etwas zu essen vorbei.«

»Dann hat es bei ihm auch begonnen …«, sagt Nomtha. Sie sagt es bitter, ohne jede Schadenfreude.

»AIDS?«, fragt Sipho.

»Ja«, antwortet Nomtha. »Noch so einer, der lieber wartet, bis er tot ist, anstatt sich rechtzeitig testen zu lassen.«

Ich liege stocksteif neben den beiden und kann weder mein wildes Herzklopfen noch den Schweiß auf der Stirn unterdrücken.

»Dieser Schuft hat unsere Mutter angesteckt!«, schreie ich plötzlich so laut, dass sowohl Nomtha als auch Sipho zusammenzucken und sich beide erschrocken zu mir herüberbeugen.

»Mann, Themba«, versucht Sipho, mich zu beruhigen, »daran hatte ich auch schon gedacht, nachdem du mir damals den Brief mit der schlimmen Nachricht …« Dabei streckt er einen Arm nach mir aus.

Ich aber stoße ihn zurück und brülle ihn an: »Nichts weißt du, Sipho, dieses Schwein, dieser elende Kerl … er hat … er hat …«

Ich kann nicht weitersprechen. Meine Stimme versagt, als hätte mir jemand eine Faust in den Rachen gestoßen. Ich würge, mir steigen gegen meinen Willen Tränen in die Augen, und ich presse mir mein Kissen vors Gesicht, damit die beiden meinen Weinkrampf nicht mitbekommen.

Als er langsam abebbt und ich mich erschöpft auf den Rücken rollen lasse, brennt eine Kerze auf dem Tisch. Sipho sitzt auf dem einzigen Stuhl und raucht eine Zigarette. Nomtha hockt dicht neben mir auf dem Holzboden.

»Mann, ich kann dich so gut verstehen …«, brummt Sipho und zieht so heftig an seiner Zigarette, dass die Glut an der Spitze hellrot aufleuchtet. »Wenn ich wüsste, wer unsere Mutter angesteckt hat, könnte ich auch nicht garantieren für das, was ich mit dem machen würde.«

Nomtha sagt nichts. Sie schaut mich nur an. So lange, bis ich meinen Blick senke. Sie hat etwas gemerkt. Sie versteht, dass es noch etwas anderes gibt, was mich quält. Und sie wartet darauf, dass ich ihr die ganze Wahrheit erzähle.

Nur ein paar Tage später bekommen Nomtha und ich über den Fußballklub eine einfache Zweizimmerwohnung am Ende des ewig langen Conradie Drive, dort wo er durch das

Boston-Viertel führt. Für uns ist das in vieler Hinsicht ideal, da das Mietshaus bereits in Richtung von Mutters Hospiz in Bellville liegt, ich aber immer noch zu Fuß zu unserer Sporthalle komme und Nomtha zu einem Bahnhof, von dem aus sie nach Fish Hoek fahren kann, auch wenn sie dazu ein paarmal umsteigen muss. Sie hat nun zwar einen längeren Weg, aber sie kann im Kinderhaus zum Glück auch Frühdienst machen und dann nach dem Mittagessen heimkommen oder Mutter besuchen.

Natürlich bieten wir auch Sipho an, mit uns ins Boston-Viertel zu ziehen, aber er möchte vorläufig in Masiphumelele in der Nähe seiner Geschwister bleiben.

Er plant, unser *Shack* zu übernehmen, will es aber abreißen und an anderer, etwas erhöhter Stelle wieder aufbauen. Sein Geld verdient er wie auch ich anfangs mit Gelegenheitsarbeiten, die er ab und zu an der Straßenkreuzung findet. Geld, das ich ihm anbiete, akzeptiert er nur für seine Geschwister, nicht für sich selbst.

»Es ist für mich wichtig, es auch allein zu schaffen, gerade nach der Verletzung, verstehst du das?«

Ich achte ihn umso mehr dafür. Ich weiß, warum Sipho mein bester Freund ist.

Wir wohnen höchstens einen Monat im Boston-Viertel, als eines Nachmittags beim Training John Jacobs mit einem jüngeren Mann im Anzug auftaucht und mich heranwinkt:

»Hey, Themba, das ist Sandile«, stellt er ihn mir vor. »Sandile arbeitet für Laduma an einer Serie über junge Fußballtalente und da habe ich ihm von dir erzählt.«

Ich gebe dem Reporter unsicher die Hand. In der anderen hat er eine kleine Digitalkamera, die ich erst für ein Handy gehalten habe. Dann klopft mir John in der ihm eigenen Art auf den Rücken und lässt uns allein.

Sandiles Eltern kommen auch aus Mpuma-Koloni, aber er selbst ist in einem Township im Norden von iKapa geboren. Ich freue mich, dass ich viel über meinen Anfang bei den Lion Strikers berichten kann. Als er mich fragt, warum ich nach iKapa gekommen bin, zögere ich einen Moment mit der Antwort.

»Ich hatte die Visitenkarte von Big John und wollte mein Glück bei ihm versuchen.«

»Na, das ist dir ja bestens gelungen, was?«

Sandile lächelt, macht dann noch ein paar Fotos von mir und verabschiedet sich. Auf einem der Fotos sind meine neuen braunen Lederschuhe zu sehen, ziemlich teure mit Löchern an der Oberkante.

Plötzlich schäme ich mich, weil ich nichts von Mutter gesagt habe. Es ist so leicht, den Mund zu halten, wie alle es tun. Nichts über AIDS zu sagen. Nichts von unserer Mutter zu erzählen, die wir täglich besuchen. Und die wir lieben.

Als das Interview mit zwei Fotos tatsächlich in der nächsten Ausgabe von Laduma erscheint, ist Sipho der Erste, der mich auf meinem neuen Handy anruft.

»*Halala*, Themba – bravo, ich bin so stolz auf dich! Ich habe gleich zwei Ausgaben gekauft, weil Jabu sich die Seite über sein Bett im Kinderhaus hängen will!« Dann bricht die Verbindung ab, bevor ich etwas antworten kann. Es ist ziemlich teuer, tagsüber von einer Telefonzelle jemanden auf dem Handy anzurufen.

Ich stürze in den nächsten Supermarkt und kaufe ebenfalls eine Laduma. Aufgeregt blättere ich das Heft durch, bis ich die Seite – tatsächlich eine ganze Seite! – mit dem Interview finde. Ich setze mich für einen Moment ganz allein an den Straßenrand und lese den englischen Text Wort für Wort. Sandile hat alles sorgfältig aufgeschrieben, nichts verändert.

Als ich fertig bin, schaue ich auf und sehe mich um. Alles ist wie vorher. Niemand erkennt mich. Logisch. Ich muss plötzlich über mich lachen und falte die Zeitung wieder zusammen.

Wenig später sitze ich neben Mutters Bett, zeige ihr die Fotos und lese ihr das Interview langsam vor. Als ich bei der Frage angelangt bin, warum ich nach Kapstadt gekommen sei, unterbreche ich mich und sage: »Mama, ich wusste einfach nicht, wie ich von dir sprechen sollte. Bitte verzeih, ich schäme mich nicht für dich oder deine Krankheit, ich wusste es einfach nicht ...«

Ich schaue ihr lange in die Augen. Sie sind offen, seit ich zu ihr gekommen bin. Wenn ich aufstehe und mich leicht zu ihr herunterbeuge, dann treffen sich unsere Blicke. Ja, sie kann mich sehen. Plötzlich ist mir, als wüsste sie alles ...

Später kommt Nomtha hinzu. Sie freut sich über die Veröffentlichung mit den Fotos und sagt kein Wort über die gelogene Antwort im Interview.

Es ist schon dunkel, als wir später am Abend in unsere kleine Wohnung kommen. Ich schalte das Licht im Wohnzimmer an – und traue meinen Augen nicht: Nomtha hat überall Luftballons aufgehängt und den Tisch gedeckt mit Plastikblumen, Kerzen und einer richtigen Flasche Wein.

Jetzt steht sie dicht hinter mir und schubst mich einfach ins Zimmer. Ich fliege herum, um sie in den Arm zu nehmen und zu küssen, aber sie windet sich geschickt heraus, und einen Moment ist es wie früher, als wir noch klein waren und uns zum Spaß gejagt haben. Endlich kann ich sie doch festhalten und wir lassen uns außer Atem auf den Boden fallen.

Noch ganz außer Puste wischt sie sich eine Locke aus der Stirn und sagt auf einmal ernst: »Ich muss mit dir reden, Themba.«

Augenblicklich richte ich mich auf und schaue sie prüfend an: »Worüber?«

Was weiß oder ahnt sie inzwischen von jener Nacht, als ich blutverschmiert von Luthando kam?

»Komm, setzen wir uns an den Tisch.« Sie geht voran, zündet beide Kerzen an und wartet, bis ich mich hingesetzt habe.

»Themba ...«, beginnt sie, »du bist für mich der wichtigste Mensch auf der Welt. Deshalb möchte ich auch, dass du alles von mir weißt. Ich will nicht, dass es dir jemand anders aus dem Kinderhaus erzählt.«

Sie holt tief Luft, und in dieser Sekunde nehme ich mir vor, auf alles vorbereitet zu sein.

Endlich stößt sie leise und mit gesenktem Blick hervor: »Es ist schon seit zwei oder drei Wochen, ganz genau kann ich es nicht sagen ... Ich muss immer wieder an ihn denken und vor zwei Tagen haben wir offen miteinander gesprochen: Lebo aus dem Kinderhaus, also ... er und ich, wir haben uns verliebt!«

Wenn mir jemand zuvor erzählt hätte, dass meine kleine Schwester Nomtha sich jemals in einen anderen Mann verlieben würde, hätte ich wahrscheinlich spontan behauptet, dass das gar nicht möglich sei, weil ... weil ... da sind doch wir beide, das ist doch absolut perfekt, wieso soll da einer von uns jemand anderen nötig haben?

Klar weiß ich im Hinterkopf, dass sie irgendwann, irgendwann eines fernen Tages vielleicht, wahrscheinlich, mit einem anderen Mann eine Familie gründen wird und dass ich dann als der ältere Bruder die Verhandlungen über die *lobola*, den Brautpreis, führen werde ... irgendwann. Aber sie ist doch erst fünfzehn. Und ich liebe sie so sehr!

Noch immer habe ich nicht geantwortet. Nomtha schiebt eine der brennenden Kerzen etwas zur Seite und legt eine

Hand auf meinen Arm: »Themba, ich liebe dich mehr, als du denkst. Darum will ich dich auch nicht verlieren.«

Jetzt bin ich es, der ihrem Blick ausweicht. Aber sie ist nicht mehr aufzuhalten.

»Themba«, sagt sie mit der gleichen eindringlichen Stimme, »was verbirgst du vor mir?«

Es kostet mich große Mühe, ihre Hand auf meinem Arm liegen zu lassen. Natürlich bemerkt sie mein leichtes Zittern. Aber jetzt geht es nicht mehr anders. Es gibt kein Zurück.

»Nomtha ...«, flüstere ich, »Nomtha, Luthando hat mich vergewaltigt, damals in jener Nacht, bevor wir weggelaufen sind. Damals, als ich so alt war wie du jetzt.«

Es ist das erste Mal, dass ich es aussprechen kann, dass ich es denken kann, ohne sofort zu beben und zu schwitzen. Anfangs ist es, als hörte ich es einen andern sagen. Nur allmählich erkenne ich meine eigene Stimme wieder, wird alles, was ich Nomtha erzähle, erst wirklich zu meiner eigenen Geschichte.

Nomtha hilft mir sehr. Was ich berichte, muss ihr Angst machen, aber sie denkt nicht zuerst an sich, sondern hört mir geduldig zu. Ab und zu nickt sie, und was vielleicht am wichtigsten ist: Sie zieht die ganze Zeit ihre Hand nicht zurück. Zuckt nicht einmal.

Erst viel später spricht auch sie. Zögernd zunächst, aber doch klar. Dass sie sich lange Zeit nicht vorstellen konnte, dass wir es hier im fernen iKapa wirklich schaffen würden. Dass sie dankbar ist, dass wir Mutter so nah sein können, und dass sie erst seit kurzem wieder daran glauben kann, dass auch wir beide – sie und ich – wirklich glücklich werden können.

»Irgendwann wird Mutter sterben, vielleicht sehr bald«, sagt sie. »Aber dann werden wir bei ihr sein.« Und nach einer langen Pause fügt sie hinzu: »Ich möchte, dass du dein Blut testen lässt.«

Ich weiß, dass sie das sagt, weil sie mich liebt. Egal wie das Ergebnis sein wird. Und ich weiß plötzlich, dass es für mich gar keinen anderen Weg geben kann. Die besten Entscheidungen sind die, die nicht mehr gefällt zu werden brauchen. Ob ich das HI-Virus im Blut habe oder nicht – ich werde leben, wie ich endlich zu leben begonnen habe. Und ich werde Nomtha haben, die zu mir steht so wie ich zu ihr.

Die Kerzen sind beinah zur Hälfte heruntergebrannt, als wir uns erheben.

Wenig später ruft Nomtha aus der kleinen Küche: »Hast du denn gar keinen Hunger?«

Ich lache. »Wie eine ganze Löwenmeute!«

Zum ersten Mal in meinem Leben versuche ich, den Korken aus einer Weinflasche zu ziehen. Es gelingt erst nach mehreren Kraftakten und der Wein schmeckt uns beiden überhaupt nicht.

Aber so ist das doch, Andile, oder? Die Wirklichkeit macht uns nur als die ganze Wirklichkeit stark. Da können zu der Wirklichkeit ruhig auch ein paar Geister unserer Vorfahren gehören, wie du und Nomtha glauben.

Jedenfalls bin ich in dieser Nacht zwei Antworten auf deine Fragen so nah wie nie zuvor im Leben: Ich weiß, dass Nomtha für mich immer der wichtigste Mensch bleiben wird. Aus dem einfachen Grunde, weil sie mir hilft, ich selbst zu sein, und weil sie zu mir steht, egal was ich in der Vergangenheit erlebt oder getan habe oder was mit mir in der Zukunft geschehen wird. Und ja, Andile: Ich werde auch einmal richtig lieben können. So wie es meine kleine Schwester mir vormacht, jetzt vielleicht mit Lebo.

Die Antwort auf deine dritte Frage, Andile, steht noch aus – woher ich komme? Und was aus unserem Vater geworden ist. Hab noch Geduld. Ich bin auf dem Weg.

Es geschieht schließlich alles in nur drei Wochen. In den einundzwanzig Tagen, nachdem mein Interview in Laduma erschienen ist, ich mit Nomtha unsere erste Flasche Wein öffne und am Tag darauf bei der Ärztin im Kinderhaus meinen Bluttest mache.

Ohne mein Wissen hast du eurem Trainer Steve so lange in den Ohren gelegen, bis er mich tatsächlich als Ersatzspieler für das nächste *Bafana*-Spiel gegen Algerien aufgestellt hat. Als du es mir sagst, sind wir beide sicher, dass ich nie und nimmer zum Einsatz kommen werde. So sitze ich an diesem Tag eher gelassen auf der Reservebank.

Und dann der Unfall von Benni schon in der ersten Halbzeit und noch einer von Vusile gleich nach der Pause.

Als Steve mir zuruft, mich warm zu laufen, schaue ich mich erst um, ob er jemand anders gemeint haben kann. Wirklich ich? Von da an geht alles so schnell...

Das Riesenstadion aus der Perspektive des grünen Rasens. Unter mir fliegt der Boden dahin, einige Zeit laufe ich nur mit, auf und ab, nichts will gelingen, schließlich ein unglücklicher Sturz nach einem Zusammenprall mit einem der gegnerischen Verteidiger, nichts Schlimmes, nur eine Prellung und leichte Schürfwunden am Oberarm, es wird ohne Unterbrechung weitergespielt... Und erst jetzt, endlich, können wir mit mehreren beinah unbehelligt einen Angriff aufbauen, anfangs zögernd noch, dann gelingt dreien von uns der Durchbruch: Ein kurzer Doppelpass und ich bin frei, bekomme den Ball am Mittelkreis in der Hälfte des Gegners von dir genau auf den Fuß gespielt, du ziehst links den Abwehrspieler mit, durch einen doppelten Übersteiger lasse ich meinen Gegenspieler einfach stehen, habe auf einmal freie

Bahn, niemand greift mich an, der gegnerische Libero als letzter Mann weicht sogar zurück, unglaublich, ich sehe schon die Linie vom Sechzehner, noch immer kommt niemand auf mich zu, erst jetzt sprintet der Libero los, zu spät, viel zu spät, ich ziele und trete aus vollem Lauf in das Leder ... der Ball landet oben rechts direkt unter der Latte im Tor.

Laduuma! Tooor! Alles schreit um mich herum. Du kommst als Erster auf mich zu, umarmst mich, dann erst die anderen, einige springen auf mich drauf, ich falle, alle lachen, jubeln ... Wir sind mit einem Tor in Führung, so kurz vor dem Abpfiff.

Es ist wie ein Rausch. Steve schreit mit knallrotem Kopf: »Mauern! Decken! Keinen mehr durchlassen!«

Die letzten Minuten torkle ich mehr, als ich laufe. Du und die anderen tragen mich bis zum Spielende mit. Nie hätte ich die gesamte zweite Halbzeit durchgehalten.

Den Abpfiff höre ich zuerst gar nicht. Du reißt die Arme hoch, Andile, und schaust mich so glücklich an. Ja, du hast Vertrauen in mich gehabt und ich hatte viel Glück. »Unsinn!«, rufst du, noch ganz außer Atem. »Du bist ein guter Spieler, Mann!«

Erst unter der Dusche komme ich langsam wieder zur Besinnung. Du bist schon vor mir draußen und berichtest, dass Steve im überfüllten Presseraum auf mich wartet, bevor sie dort die Kameras laufen lassen. Ich solle unbedingt etwas sagen zu dem entscheidenden Tor in der zweiundachtzigsten Minute.

Während ich mich abtrockne, stehst du ungeduldig am Eingang der Duschräume und winkst: »Nun mach schon, Themba!«

Isasazwa ngqo kumabonakude

Vor laufender Kamera

Ich verstehe deine Ungeduld, Andile. Aber es ist einfach alles anders seit gestern. Es gibt für mich nur das Eine jetzt. Noch einmal tief Luft holen und alle Kräfte sammeln. Ich rolle mein Handtuch betont langsam zusammen.

Gestern habe ich mein Testergebnis erfahren. In der Nacht davor habe ich vermutlich genauso viel gehofft, gebetet und unruhig geschlafen wie Millionen andere Menschen in der gleichen Situation. Ich kann nicht behaupten, dass es eine leichte Übung war. Ich habe die Chancen abgewogen, dass dieser Kerl vielleicht ja nur ganz wenig, vielleicht sogar zu wenig seines infizierten Samens in mich hat eindringen lassen. Ich wollte um alles in der Welt beruhigt sein. Jeder Strohhalm war mir recht. So, als Nomtha berichtete, Sister Princess habe am Tag zuvor gesagt, dass es längst nicht immer beim ersten ungeschützten Sex mit einem HIV-Infizierten zu einer Ansteckung kommt. Genau so etwas wollte ich hören.

Gegen elf Uhr vormittags hatte ich mich mit Nomtha bei der Ärztin des Kinderhauses verabredet. Auf dem Weg dorthin traf ich Sipho zufällig auf der Straße. Ich war so nervös, dass ich keinen vollständigen Satz herausbekam und nur herumstotterte, ich wolle Nomtha von der Arbeit abholen. Weder Sipho noch unserem Trainer Kevin noch dir, Andile, hatte ich ein Wort von all dem gesagt.

Als ich das kleine Beratungszimmer betrat und das Gesicht der Ärztin sah, wusste ich alles. Sie war ein klein wenig zu freundlich bei der Begrüßung. Sie wollte, dass ich mich auf den bequemsten Stuhl setze.

Und dann half alles nichts mehr, und sie sagte: »Themba, wir haben doppelt getestet, um ganz sicherzugehen. Demnach hast du den HI-Virus im Blut.«

Sie nickte Nomtha zu, als hätten sie für diesen Fall etwas verabredet. Aber Nomtha nahm nur meine Hand, die diesmal nicht zu beben begann. Auch bildete sich kein Schweiß auf meiner Stirn. Etwas in mir ist aufgebrochen, ist klar und stark wie nie zuvor, will keine Lügen, kein Verstellen, kein Schweigen und keine Ignoranz mehr.

Klar – ich bin verdammt traurig und wütend, dass es in meinem Fall also doch zu einer Infektion gekommen ist. So wie Millionen andere auch traurig und wütend sind, wenn sie es zu hören bekommen. Jeden Tag, irgendwo auf der Welt, nicht nur hier in Südafrika.

Und jetzt ziehst du mich hinter dir her zu diesem überfüllten Presseraum. Eigentlich wollte ich es dir irgendwann sagen, ganz unter uns, wenn wir Zeit füreinander haben, nicht so zwischen Tür und Angel. Ganz bestimmt. Ich wollte mich von dir beraten lassen, wie ich damit umgehen soll und ob du vielleicht von einem anderen der *Bafana*-Spieler weißt, der auch HIV-positiv ist oder AIDS hat und es bisher nur nicht öffentlich gesagt hat. Für all das ist nun keine Zeit mehr.

Drängeln und Schieben beim Eingang. Als sie mich mit dir kommen sehen, rufen einige unsere Namen und klatschen: »Viva, Themba … Viva, Andile …!«

Du streckst die Faust zum Gruß in die Luft und deine Fans jubeln.

Ich laufe weiter hinter dir her wie ein Hund an der Leine, aber plötzlich drehst du dich um und schiebst mich ohne Vorwarnung zu diesem Tisch auf eine Art Podium hinauf, auf dem bis jetzt nur unser Nationaltrainer Steve sitzt und mir nun väterlich die Hand reicht. Er hat ein drahtloses Mikro in der Hand, mehrere andere Mikrofone sind auf dem Tisch aufgebaut.

Als wäre der Tumult noch nicht groß genug, zeigt Steve nun mit beiden Händen auf mich und ruft in den Saal: »Themba Matakane, unser Neuer, unser Jüngster – der Star des Tages!«

Erneut braust Beifall auf, diesmal nur für mich.

Ich weiß nicht, ob ich mich jetzt wie ein Sänger verbeugen soll, und bleibe einfach nur etwas steif stehen und versuche, möglichst freundlich dreinzuschauen. Dabei suche ich in dem Gewühl nach Nomtha, obwohl ich weiß, dass sie niemals freiwillig in einen so vollen Raum geht.

Das einzige vertraute Gesicht zwischen all den Journalisten ist Sandile, der junge Laduma-Reporter. Er winkt mir fröhlich zu.

Dann deutet mir Steve an, dass wir uns hinsetzen müssen. Kaum haben wir Platz genommen, schießen die ersten Finger in die Höhe. Ein älterer Reporter mit kahlem Kopf aus der dritten oder vierten Reihe setzt sich als Erster durch: »Mr Barker«, spricht er zuerst Steve an, »seit wann haben Sie diesen jungen Spieler im Team – und wo kommt er her?«

Es ist deutlich, dass Steve die Anerkennung, die hinter der Frage steht, genießt: »Aufgebaut wurde Themba bisher in der Jugendmannschaft von Ajax Cape Town, bei uns ist er erst seit wenigen Wochen. Davor war er …«, er hält einen Moment inne und lenkt als erfahrener Profi, der schon oft vom Fernsehen interviewt wurde, die Aufmerksamkeit gekonnt auf mich: »Themba, wo hast du angefangen, Fußball zu spielen?«

Er reicht mir das drahtlose Mikro, das erst nicht funktionieren will. Als er es aus- und wieder einschaltet, pfeift und piept es schrecklich, bevor auch das aufhört und ich weiß, dass ich nun endgültig dran bin.

»Meine erste Mannschaft waren die Lion Strikers im Ostkap, genauer gesagt in einem kleinen Dorf im Gebiet von Qunu, ganz in der Nähe, wo *Madiba*, unser erster Präsident, geboren wurde ...«

Einige im Saal schmunzeln. Klar – niemand hier hat je etwas von den Lion Strikers gehört.

»Ich bin vor mehr als einem Jahr nach Kapstadt gekommen«, fahre ich fort und weiß, dass nun jeder hören möchte, wie ich es geschafft habe, beim besten Klub der Stadt zu landen. Ich zögere kurz, räuspere mich einmal und sage dann laut und deutlich vor dem ganzen Saal: »Damals war meine Mutter sehr krank. Sie hatte AIDS, und meine Schwester und ich kamen nach Kapstadt, um sie zu suchen und ihr zu helfen. Zu Ajax Cape Town ging ich, weil ich verzweifelt Arbeit suchte. Ich hätte auch Gras gemäht oder Autos gewaschen.«

Das anfänglich freundliche Interesse an meiner Person ist einer knisternden Spannung gewichen. Normalerweise gibt es hier wohl nur kurze Fragen und Antworten. Auch Steve schaut fragend zwischen dir und mir hin und her, als wollte er wissen: Wo will er hin mit seiner Geschichte?

Aber ich habe das Mikro noch immer in der Hand und alle Zeigefinger im Saal sind für den Moment nach unten gesackt.

»Ich spiele sehr gern Fußball, noch genauso gern wie damals auf den grünen Hügeln von Qunu«, fahre ich fort, um schließlich noch das Wichtigste loszuwerden, bevor meinem

Mikro der Saft abgedreht wird: »Ich bin noch jung, und ich weiß nicht, ob ich es schaffe, an der Spitze im Fußball zu bleiben, aber ich möchte zumindest sagen, dass ich seit ein paar Tagen weiß, dass ich HIV-positiv bin.«

Für mindestens fünf Sekunden herrscht Totenstille im Saal, dann bricht ein unglaublicher Tumult los. Einige Reporter und Mitspieler klatschen Beifall, andere pfeifen aus Protest.

Steve kann sich nur mit Mühe über sein Mikrofon durchsetzen: »Das war nicht abgesprochen, nicht dass Sie das denken! Aber dieser junge Mann verdient in jeder Hinsicht unsere Anerkennung!« Er gibt mir demonstrativ die Hand und wieder klatschen einige im Saal. Ganz deutlich erkenne ich dein lachendes Gesicht neben der Tür, Andile.

Schließlich hat aber auch ein junger Reporter mit Brille und Dreadlocks ein Mikro ergattert und vertritt offensichtlich die Gegenseite: »Ich finde das überhaupt nicht! Themba hat den Fußball als Plattform für seine persönlichen Probleme missbraucht…!«

Auch er bekommt viel Beifall.

Kaum jemand hält sich noch an irgendwelche Regeln oder wartet gar, bis er ein Mikro bekommt. Alle diskutieren wild durcheinander über meine Aussage. Mehrere Scheinwerfer erlöschen, einige Kameras richten sich auf den Tumult im Saal, bevor auch sie abgeschaltet werden.

Steve nickt mir beruhigend zu, und du, Andile, streckst mir sogar den hocherhobenen Daumen entgegen, als ich vom Podium herabklettere und mich mühsam zum Ausgang schiebe.

Als ich endlich draußen bin und mich umschaue, wo du abgeblieben bist, kommt plötzlich Sandile heftig winkend auf mich zu.

Ich denke erst, dass er mir seine Meinung zu dem Spektakel sagen will, und warte auf ihn.

Als er vor mir steht, holt er einen kleinen gefalteten Zettel aus seiner Jackentasche und sagt: »Themba, heute Morgen hat jemand bei uns in der Redaktion angerufen und nach deiner Anschrift und Telefonummer gefragt. Ihm ist das Interview in der Zeitung aufgefallen. Er meinte, er sei ein naher Familienangehöriger, der lange keinen Kontakt mit dir hatte.«

Wer mag das sein? Außer Mutter, Nomtha und Tatomkhulu habe ich keine nahen Familienangehörigen, da bin ich ganz sicher.

»Natürlich habe ich ihm nicht ohne deine Erlaubis deine Adresse gegeben«, versichert Sandile. »Aber ich habe ihn gebeten, mir seinen Namen und seine Telefonnummer zu nennen, und versprochen, es dir auszurichten.«

Damit faltet er den kleinen weißen Zettel auseinander und reicht ihn mir. Erst kann ich die Handschrift nicht gut entziffern. Dann rempelt uns jemand versehentlich an und der Zettel fällt zu Boden. Als ich ihn wieder in der Hand habe, gehe ich einen Schritt ans Fenster, um besser lesen zu können.

»Vuyo Matakane«, steht auf dem Zettel. Und eine Handynummer. Vuyo Matakane …

Nichts lasse ich mir anmerken.

Als ich den Zettel in die Tasche stecke, fragt Sandile: »Kennst du den?«

»Ja«, sage ich leise und denke nur noch daran, wie ich so schnell wie möglich Nomtha finden kann.

Eine Zukunft für Themba – Kinder, Jugendliche und AIDS in Südafrika

Südafrika ist ein junges Land voller Hoffnungen: Mehr als die Hälfte der Bevölkerung ist 15 Jahre und jünger. Auch der Staat Südafrika ist noch nicht alt: Erst 1994 wurde das neue demokratische Südafrika gegründet, nachdem die jahrhundertelange Unterdrückung durch Rassismus und Apartheid endlich offiziell abgeschafft worden war. Nelson Mandela, der selbst jahrzehntelang im Gefängnis war, weil er sich für Gerechtigkeit für alle Menschen eingesetzt hatte, wurde der erste frei gewählte Präsident Südafrikas.

Diese Hoffnung auf eine bessere Zukunft der Menschen in einem freien, demokratischen Südafrika ist heute erneut gefährdet: Jedes Jahr sterben mehr junge als alte Menschen. Hauptursache ist die Immunschwächekrankheit AIDS. In Südafrika sterben jeden Tag über 600 Menschen an AIDS bei einer Gesamtbevölkerung von nur 43 Millionen. Zum Vergleich: In Deutschland leben rund 82 Millionen. Und noch immer infizieren sich allein in Südafrika jeden Tag rund 2000 überwiegend junge Menschen neu mit dem HI-Virus. Wie ist das möglich?

Trotz offizieller Erklärungen und obwohl selbst hochrangige Politiker gern die AIDS-Schleife tragen, wird AIDS in Südafrika noch immer in hohem Maße verleugnet, werden von AIDS direkt Betroffene ignoriert. Wer über AIDS spricht, redet fast immer abstrakt von den »anderen«, die betroffen sind, und nicht von sich selbst, den eigenen Freunden, der eigenen Familie. In Todesanzeigen wird in der Regel die wahre Todesursache verschwiegen, und nur wenige Persönlichkeiten des öffentlichen Lebens bekennen sich bisher zu der Krankheit, wenn sie selbst oder ihre Familien betroffen sind.

Themba erfährt die Ablehnung anderer Township-Bewohner gegenüber der kranken Mutter. Sein bester Freund Sipho kann über Monate den Tod der Mutter geheim halten, weil er und seine Familie schon vorher von den früheren Nachbarn ausgegrenzt wurden. Als könnte man die Wirklichkeit verhindern, indem man sich die Augen zuhält.

Aber Themba und seine Schwester Nomtha erleben auch Menschen, die begonnen haben, die Augen zu öffnen und aktiv zu werden: In der ländlichen Gegend, aus der Themba kommt, bricht Mama Zanele das Schweigen über den Tod ihrer Tochter und kann sich darüber mit Andys Mutter, einer weißen ehemaligen Krankenschwester, austauschen. Im Township ist es zuerst die kleine Nelisa, die Mitgefühl zeigt. Später lernen Themba und Nomtha eine Gruppe engagierter Township-Bewohner kennen, die ein Haus für von AIDS betroffene Kinder gebaut haben und dort später auch die jüngeren Geschwister von Sipho aufnehmen.

Das Wichtige an diesem Kinderhaus ist: Dort wird nicht nur für die Kinder gesorgt, die Hilfe dringend nötig haben, sondern es wird auch demonstriert: AIDS ist kein Todesurteil, auch nicht für Kinder! Was tötet, sind Schweigen und Ausgrenzung. Wir können miteinander darüber reden, einander helfen und gemeinsam verhindern, dass immer mehr junge Leute infiziert werden.

Noch immer gibt es keinen Impfstoff, der uns vor der Krankheit schützen könnte. Und es gibt nach wie vor kein Heilmittel, das die HIV-Infektion verschwinden lässt. Wer einmal infiziert ist, muss damit für immer leben. Aber das zumindest ist möglich: Trotz Infektion mit HIV kann ich ein erfülltes und sinnvolles Leben führen, wenn ich Zugang zu ART-Medikamenten erhalte, die die Ausbreitung des Virus im Körper stoppen, wenn ich lerne, sie richtig einzunehmen und auf meine Gesundheit zu achten. Und wenn ich niemand anderen infiziere, indem ich beim Sex mit einem Partner oder einer Partnerin ein Kondom benutze.

Themba will trotz seiner HIV-Infektion zeigen, dass er ein guter Fußballer sein kann. Einer der berühmtesten Fußballer der Welt, Franz Beckenbauer, unterstützt ihn darin und sagt: »Themba macht deutlich, dass man auch mit HIV/AIDS ein großer Sportler sein kann. Denn Sport ist zuerst Fairness untereinander – überall auf der Welt.«

Der Weg zu solcher Anerkennung von Menschen, die von HIV/AIDS betroffen sind, ist noch weit, nicht nur in Südafrika, auch in Europa und anderen Erdteilen. Vor allem im Alltag benötigen wir noch viele mutige und engagierte Beispiele, bis sich das Blatt wenden wird.

Es ist möglich.

Lutz van Dijk
Kapstadt, im November 2005

Kleines Wörterbuch

AIDS

Immunschwäche-Krankheit, die durch das HI-Virus vor allem beim Geschlechtsverkehr übertragen werden kann. Sie macht den Menschen anfällig für alle möglichen ansteckenden Krankheiten (wie Grippe, Durchfall oder Lungenentzündung). Ein gesunder Körper kann diese Krankheiten abwehren, bei einem durch HIV geschwächten Körper können sie jedoch zum Tod führen. AIDS ist die Abkürzung für: Aquired Immune Deficiency Syndrome (= erworbenes Immunschwäche-Syndrom).

Antiretroviral-Therapie (ART)

Medikamente, die verhindern, dass sich das AIDS verursachende HI-Virus im Körper ausbreiten kann, und dadurch das Leben verlängern. Wer mit der Therapie einmal begonnen hat, muss diese AIDS-hemmenden Medikamente (bisher in der Regel täglich zweimal) für immer einnehmen.

Apartheid

Die gewaltsam durchgesetzte Trennung von Menschen unterschiedlicher Hautfarben zugunsten der Weißen. Siehe auch → Rassismus. Der Begriff »Apartheid« bedeutet auf Afrikaans »Trennung«. Durch die Freilassung von Nelson Mandela am 10. Februar 1990 wurde das Ende der Apartheid in Südafrika eingeläutet. Offiziell wurde die Apartheid jedoch erst 1994 abgeschafft.

Bafana Bafana
Name der südafrikanischen Nationalmannschaft. Auf Xhosa bedeutet der Name »Junge Männer«.

Bra
Umgangssprachliche Anrede unter etwa gleichaltrigen Jungen oder jungen Männern. Abgeleitet vom englischen Wort »brother« (Bruder).

Cocktail-Medikamente
Umgangssprachlicher Ausdruck für → ART. Er kommt daher, dass diese Therapie nur in der Kombination von drei verschiedenen Medikamenten wirkt, die gleichzeitig (als »Cocktail«) eingenommen werden müssen.

Dagga
Umgangssprachlicher Ausdruck für Haschisch in Südafrika (über alle Sprachgrenzen hinweg).

HI-Virus (auch: HIV)
Virus, das für die Krankheit AIDS verantwortlich ist. HIV wird vor allem durch Körperflüssigkeiten wie Blut und Sperma übertragen, am häufigsten bei sexuellen Kontakten, wenn kein Kondom benutzt wird (»ungeschützter Sex«). Es kann frühestens nach drei Monaten und nur durch einen Bluttest nachgewiesen werden. Zwischen einer Ansteckung und dem Ausbruch der Krankheit können viele Jahre vergehen. Wird in dieser Zeit kein Kondom benutzt, kann jemand, der infiziert ist, unbegrenzt andere Menschen anstecken.

Intsangu
Xhosa für Haschisch.

Madiba
Clan-Name von Nelson Rolihlahla Mandela (geb. 1918), dem ersten frei gewählten Präsidenten von Südafrika (1994-1999). Mandela war 27 Jahre lang politischer Gefangener (1964-1990) der Apartheid-Regierung. »Madiba« ist eine ebenso respekt- wie liebevolle Bezeichnung.

Mlungu
Xhosa für »Weißer« (Anrede).

Mealie pap
Maisbrei.

PSL
Abkürzung für Premier Soccer League – Erste Fußball-Liga Südafrikas, der Bundesliga in Deutschland vergleichbar.

Rand
Südafrikanische Währung. Ein Euro entspricht zurzeit etwa 7,50 Rand.

Rassismus
Das Denken und Handeln von Menschen, die davon überzeugt sind, dass bestimmte Gruppen von Menschen minderwertiger sind als ihre eigene Gruppe. Angeblich können sie diese »anderen« Menschengruppen an äußeren Merkmalen wie Hautfarbe oder Aussehen erkennen, die sie nach unterschiedlichen »Rassen« zusammenfassen. Diese »Rassenlehre« oder »Rassentheorie« ist jedoch von seriösen Wissenschaftlern seit Jahrzehnten widerlegt. Kein Mensch gleicht

dem anderen – und doch haben wir als Menschheit viel gemeinsam.

SAFA
Abkürzung für South African Football Association – Südafrikanischer Fußballbund (entspricht dem Deutschen Fußballbund/DFB)

Sangoma
Sangomas sind traditionelle Heiler/innen, die sowohl über Kenntnisse der Naturmedizin als auch über spirituelle Fähigkeiten verfügen.

Shack
Shacks sind aus Holz, Blech oder Pappe gebaute einfachste Hütten in Armensiedlungen, meist in der Nähe großer Städte.

Shebeen
Township-Kneipe.

Sjambok
Schwere Lederpeitsche.

Spaza-Shop
Tante-Emma-Laden, meist in ärmeren Gegenden, wo es Lebensmittel und alles Mögliche für den täglichen Bedarf zu kaufen gibt.

Ugawulayo
Xhosa für AIDS.

Tag der Jugend (16. Juni)
Am 16. Juni 1976 protestierten mehrere tausend Jugendliche im Township Soweto bei Johannesburg friedlich gegen die Unterdrückung durch das weiße Apartheidregime, das nichtweiße Schülerinnen und Schüler benachteiligte. Polizisten und Soldaten eröffneten das Feuer und verwundeten und töteten mehrere der jungen Demonstranten. Als Erster wurde an diesem Tag der dreizehnjährige Hector Pietersen erschossen. Seit dem Ende der Apartheid 1994 ist der 16. Juni ein nationaler Feiertag in Südafrika: der »Tag der Jugend«.

Township
Zu Zeiten der Apartheid entstandene Armensiedlungen am Rande großer Städte, wohin Menschen nichtweißer Hautfarbe vertrieben wurden oder wo sie sich selbst zusammenfanden (»informal settlements«). Heute ziehen Menschen aus armen ländlichen Gebieten noch immer in Townships in der Hoffnung, in den Städten eher Arbeit finden zu können.

Yizani High School
»Yizani« bedeutet auf Xhosa »Kommt zusammen!« Manche Schulen in Südafrika tragen Namen mit einer ermutigenden Bedeutung.

Dank

... an Karin Chubb für kritisches Lesen des ersten Entwurfs und die englische Übersetzung;
... an Lungelo Nqojana für die sorgfältige Überprüfung der Xhosa-Formulierungen;
... an Shirley Madlingozi und Simphiwe Nkomonbini für Hinweise zur Xhosa-Kultur und dem Leben im Ostkap Südafrikas;
... an Perry Tsang für Mithilfe bei der Recherche und wertvolle Anregungen;
... an Leena Flegler im cbj Verlag und meine Lektorin Marion Schweizer;
... für fachlichen Rat an Stefan Hüsgen, gegenwärtig am Goethe-Institut New York, und Juan Els, München;
... für Informationen zum südafrikanischen Fußball an Sakhiwo Rulashe, Marketing-Koordinator von Ajax Cape Town, Peter du Toit, Chefredakteur der südafrikanischen Fußballzeitung Laduma, Dieter Dresen, Sportlehrer der Gesamtschule Bonn-Benel sowie Peter auf der Heyde, dpa-Fußballreporter für Afrika, zurzeit in Irland.

Ein Teil der Einnahmen aus diesem Buch geht an die südafrikanische Stiftung HOKISA – Homes for Kids in South Africa, die sich seit 2001 für Kinder und Jugendliche, die von AIDS betroffen sind, einsetzt. Das erste HOKISA-Kinderhaus wurde am Welt-AIDS-Tag 2002 im Township Masiphumelele bei Kapstadt vom ehemaligen Erzbischof und Friedensnobelpreisträger Desmond M. Tutu eröffnet. Es ist ein Haus mit einem großen Spielplatz für alle Township-Kinder, das von der Gemeinschaft getragen wird. Ein zweites Haus für Jugendliche und junge Erwachsene wurde 2005 gebaut.

Foto: © Lutz van Dijk

Kinder vor dem Spielplatz des HOKISA-Kinderhauses

Inzwischen gibt es auch Freundinnen und Freunde von HOKISA in anderen Ländern, so auch in Deutschland. Spenden sind steuerabzugsfähig und herzlich willkommen. Aktuelle Fotos und Informationen findet man auf der HOKISA-Website: www.hokisa.co.za

Vielen Dank im Namen des Hokisa-Teams!
LUTZ VAN DIJK

Kontakt zu HOKISA in Deutschland:

Förderverein HOKISA e.V.
c/o Bildungswerk für Friedensarbeit
Budapester Str. 21
D – 53111 Bonn
E-Mail: hokisa@bf-bonn.de
Spendenkonto: 8337000
Bank für Sozialwirtschaft Köln
BLZ 37020500

Lutz van Dijk
Von Skinheads keine Spur

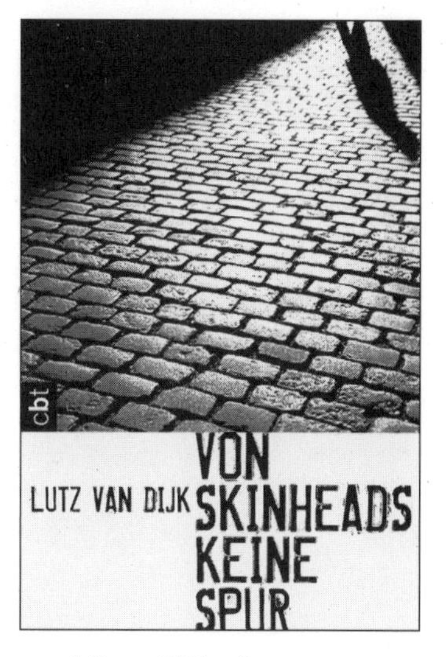

192 Seiten ISBN 978-3-570-30537-9

1991: Nach einem Streit in einer Disko im ostdeutschen W. werden schwarzafrikanische Jugendliche von einem aufgebrachten Mob bis zu ihrem Wohnheim verfolgt. Es kommt zu einem Kampf, an dessen Ende zwei der Jungen vom Balkon im vierten Stock hinab in die Tiefe stürzen ... Lutz van Dijk erzählt die Geschichten von Jim aus Namibia und Sören aus Deutschland. In der Nacht des Anschlags ist Jim unter den Gejagten, Sören einer der Verfolger...

6313

Michael Wallner
Die Zeit des Skorpions

320 Seiten, ISBN 978-3-570-30669-7

Europa in naher Zukunft. Unerbittlich breitet sich die Wüste als Folge der Erderwärmung aus und hat bereits den Südrand der Alpen erreicht. Dort schließt sich die 14-jährige Tonia, als Junge verkleidet, einer Gruppe von Tuareg an, die in geheimer Mission unterwegs sind: Sie sollen ein gewaltiges Wasserreservoir freisetzen, das sich in 3000 Metern Tiefe befindet. Doch der mächtige Herrscher des Nordens, der skrupellose Finsøkker, will dies unbedingt verhindern ...

6428

www.cbt-jugendbuch.de